1,000,000 Books

are available to read at

---

www.ForgottenBooks.com

Read online
Download PDF
Purchase in print

ISBN 978-0-265-63243-7
PIBN 10988713

This book is a reproduction of an important historical work. Forgotten Books uses
state-of-the-art technology to digitally reconstruct the work, preserving the original format
whilst repairing imperfections present in the aged copy. In rare cases, an imperfection in
the original, such as a blemish or missing page, may be replicated in our edition. We do,
however, repair the vast majority of imperfections successfully; any imperfections that
remain are intentionally left to preserve the state of such historical works.

Forgotten Books is a registered trademark of FB &c Ltd.
Copyright © 2018 FB &c Ltd.
FB &c Ltd, Dalton House, 60 Windsor Avenue, London, SW19 2RR.
Company number 08720141. Registered in England and Wales.

For support please visit www.forgottenbooks.com

1 MONTH OF
FREE
READING

at
www.ForgottenBooks.com

By purchasing this book you are eligible for one month membership to ForgottenBooks.com, giving you unlimited access to our entire collection of over 1,000,000 titles via our web site and mobile apps.

To claim your free month visit:

www.forgottenbooks.com/free988713

* Offer is valid for 45 days from date of purchase. Terms and conditions apply.

English
Français
Deutsche
Italiano
Español
Português

www.forgottenbooks.com

Mythology Photography **Fiction**
Fishing Christianity **Art** Cooking
Essays Buddhism Freemasonry
Medicine **Biology** Music **Ancient
Egypt** Evolution Carpentry Physics
Dance Geology **Mathematics** Fitness
Shakespeare **Folklore** Yoga Marketing
Confidence Immortality Biographies
Poetry **Psychology** Witchcraft
Electronics Chemistry History **Law**
Accounting **Philosophy** Anthropology
Alchemy Drama Quantum Mechanics
Atheism Sexual Health **Ancient History**
Entrepreneurship Languages Sport
Paleontology Needlework Islam
Metaphysics Investment Archaeology
Parenting Statistics Criminology
Motivational

Neue Werke und Winke

für die

Bewirthschaftung des Wassers

(Hydronomie).

Von

Dr. H. Beta. *pseud*

(Heinrich Bettziech.)

Mit 2 Abbildungen in Holzschnitt.

Leipzig und Heidelberg.
C. F. Winter'sche Verlagshandlung.
1870.

F 6208.70.20

HARVARD COLLEGE LIBRARY
GIFT OF
DANIEL B. FEARING
30 JUNE 1914

Inhalt.

———

Digitized by Google

Nord- und Ostsee-Fischerei.

Meine „Bewirthschaftung des Wassers und die Ernten daraus", wovon Brehm im Vorwort sagt, daß sich auch der fischblutkälteste Leser dafür erwärmen müsse, erschien insofern zu günstiger Zeit, als sich wohl gegen hundert literarische Stimmen in den verschiedensten Zeitungen und Zeitschriften ohne Ausnahme mit Anerkennung, ja mit dem wärmsten Willkommen aussprachen, und die darin reichlich fließenden Thatsachen und Anregungen zu größeren und kleineren Unternehmungen, Versuchen und Vereinen für diesen bei uns bisher vernachlässigten Wirthschaftszweig Veranlassung gaben. Aber es geht noch viel zu schläfrig und kleinlich vorwärts. Deshalb halten wir neue Anregungen und Thatsachen für geboten. Diese Broschüre will erstens aufs Neue das größere Werk über die Bewirthschaftung des Wassers in Erinnerung bringen und die neuesten Thatsachen und Fortschritte auf diesem Gebiete zu weiterer Förderung und Ermuthigung einschärfen. Ein reiches Material dafür verdanke ich dem ersten deutschen Herold für den „Fischfang auf hoher See", Gen.-Conf. Sturz, der seit Jahren edel, eifrig, aufopfernd sammelte und sorgte und mit kundigem Seemanns- und Welthandelsblick das natürlich schläfrige oder künstlich eingeengte Deutschland für seine kosmopolitische Mission auf allen möglichen praktischen Gebieten zu wecken und zu waffnen suchte, bis jetzt leider meist ohne Erfolg und Dank.

Bald nach Erscheinen meines größeren Werkes benutzten einzelne Männer die darin gegebenen Anregungen zu Anlagen für künstliche Fischzucht. Durch vereinigte Kräfte wurden Seefischereigesellschaften ins Leben gerufen. Der preußische Kronprinz soll mein Buch mit besonderem Interesse gelesen haben. Auf seine Anregung und unter seinem Schutze trat der deutsche Fischereiverein ins Leben.

Ihm und den norddeutschen Eiswerken verdanken wir eine bereits erträglich reichliche Zufuhr von frischen Seefischen in Berlin und anderen Binnenstädten und wenigstens vorläufige Hoffnungen auf „Vorschläge" und „Vorarbeiten" zu „Vorbereitungen" für Förderung der Ostseefischerei durch das landwirthschaftliche, resp. Marineministerium. Der deutsche Fischereiverein sollte aus eigener Kraft, eigenen Mitteln und eigener Verwerthung unzähliger Vor- und wirklicher Arbeiten auf diesem Gebiete zu Hause, besonders aber in Frankreich, England und Amerika theils selbst frisch und freudig ans Werk gehen, theils die rechten Männer einzeln oder vereint dafür aussuchen und waffnen. Wissenschaftliche und praktische Untersuchungen in der Ost- und Nordsee und das dafür versprochene Kriegsfahrzeug mögen auf eigene Rechnung und Weise arbeiten und ihre Ergebnisse den unmittelbar praktischen Unternehmungen für Bewirthschaftung und Auserntung unserer Gewässer zu Gute kommen. Vorschulen und Vorarbeiten mit den glücklichsten und lohnendsten Ergebnissen stehen uns schon aus aller Welt zu Gebote. Warum diese nicht benutzen, bei uns einbürgern?

Dem deutschen Fischereiverein empfehlen wir besonders Fischerei-Commissionäre nach amerikanischem Muster für die verschiedenen Provinzen, worüber wir an einer anderen Stelle sprechen, so wie Verbindung mit allen anderen einzelnen oder vereinten Männern oder Instituten, welche irgendwie Wasser bewirthschaften, also außer mit Fischern auch mit Wassermüllern, Wasserleitungen, dem Vereine für Hebung der deutschen Fluß- und Canalschifffahrt u. s. w. besonders aber mit dem vaterländischen Verein zur Rettung Schiffbrüchiger, dessen edler Aufruf mitten in den Nachtigallen- und Drosselschlag des vorigen Mai hineinklang. Auch die in diesem Aufrufe leider vergessenen Vereine für denselben Zweck in Stettin und für die friesischen Küsten bieten gute Boote und Anhaltpunkte. Bei aller Verschiedenheit der Zwecke haben solche Vereine und Männer doch das flüssige, verbindende Wasser mit einander gemein und können sich vielfach gegenseitig fördern. Namentlich erinnert letzterer Verein unmittelbar an die viel zu wenig gewürdigten Verdienste unserer Tieffischer auf hoher See. Sie haben unzählige Menschenleben, Waaren und Werthe aus dem wüthenden Rachen des sturmgepeitschten Meeres gerettet und müßten schon deshalb in ihrem lebensgefährlichen, lebensrettenden und uns mit kostbaren Lebensmitteln versorgenden Berufe mehr gewürdigt und besser unterstützt werden. Der Verein zur Rettung Schiffbrüchiger sollte diese Fischer sofort für sich gewinnen, sie zu Mitgliedern machen und ihnen damit eine neue Würde geben, ihnen entsprechenden Gewinn zusichern. Von seinen Rettungsbooten wird jedes 3000 Thaler und 500 Thaler jährliche Unterhaltung kostet. Die Boote der Hochseefischer sind bereits umsonst für diesen edlen Zweck da oder wenigstens dafür ohne Kosten zu gewinnen. Auch wäre es sehr praktisch, verdiente Namen solcher Fischer unter die aufzunehmen, welche den Aufruf erließen. Außer dem Prinzen Adalbert von Preußen und dem Corvettencapitän v. St. Paul-Illaire fanden wir nur noch mehr oder weniger ehrenwerthe Namen mit dem besten Klange in Militär-, Beamten- und Bankierkreisen, also auf dem festen, nicht flüſſigen Lande. Die Zwecke des Vereins ſind des Schweißes und Geldes der Edlen werth. Wir brauchen für unſere zweihundert Meilen lange, oft ſturm= gepeitſchte und ſchiffbrüchige Meeresküſte, 20,000 unſerer und viele Tauſende fremder Seeleute, die im ewigen Kampfe mit unbarmherzigen Winden und Waſſern uns die Segnungen des Weltverkehrs zu= und unſere Ueberflüſſe verwerthend ableiten, mindeſtens doppelt ſo viele Rettungsſtationen als bisher und haben dann immer noch nicht halb ſo viel wie England. Alſo trage Jeder nach Kräften zum Gelingen dieſer edlen Zwecke bei. Der Verein kann durch unſeren Vorſchlag wenigſtens mittelbar eine große Menge ſolcher Retter mit Booten gewinnen, und die Unterhaltung ſeiner eigenen Boote bedeutend verringern, vielleicht ſogar zu einer Einnahmequelle erheben, wenn er mit den einzelnen Stationen und Booten irgendwie Fiſchereibetrieb verbindet. Nur als eine Art von See= fiſchern würden dieſe Retter mit ihren Werkzeugen und Stationen in ge= höriger Anzahl möglichſt bald zu finden, anzuſiedeln und zu erhalten ſein, ohne die ohnehin ſchon ſtark in Anſpruch genommene Steuerkraft des Landes zu drücken und ſich ſogar in eine doppelte Wohlthat verwandeln.

Der Verein für Hebung der Fluß= und Canalwege bewirthſchaftet auch Waſſer und würde den alten wie neuen Wegen beiläufig einen höheren Werth geben, ihnen höhere Zinſen abgewinnen, wenn er Fiſche darin züchten und benachbarte Gewäſſer, ſelbſt Sümpfe durch Verbindung mit den Canälen in Fluß bringen ließe. Aus dieſen Andeutungen erſehe man wenigſtens den Nutzen, der aus Verbindung ſolcher vereinten Beſtrebungen ſich ergeben würde. Erſt dadurch kommen wir zur wirklichen Hydrono= mie, deren Bedeutung und Umfang ich zum Schluſſe kurz gezeichnet habe.

Aus der Darſtellung der preußiſchen Seefiſcherei und ihrer jetzigen Lage vom geheimen Regierungsrath Marcard ſetzt ſich ein trauriges Bild zuſammen. Die Anſchwemmungen an den Oſtſeeküſten (Werdels) ver= wandeln ſich oft ohne weiteres Zuthun binnen zwanzig, dreißig Jahren in Wieſen, ſelbſt guten Ackerboden, woraus man trotz der chroniſch gewordenen Hungers= und Waſſersnoth in Oſtpreußen mit ſeinen Tauſenden von Morgen unnützen und ſelbſt ſchädlichen Waſſers noch nichts Rechtes zu machen weiß. Andererſeits ſind die Schutzmaßregeln gegen die räube= riſche Nordſee in dem gegen äußere Feinde bis an die Zähne gewaffneten Preußen noch viel zu ſchwach. Und das Kriegsſchiff, womit man die Drei= meilen=Grenze gegen engliſche Fiſcher zu vertheidigen droht, iſt in der That eine ſehr leicht gefährlich werdende Spielerei, außerdem ein Bekenntniß der Schwäche für Benutzung und Auserntung dieſer unſerer ſprichwörtlich reichen Küſten. Sollten unſere Fiſcher mit dieſem Reichthume vor der Naſe nicht mit den aus der Ferne kommenden Engländern wetteifern können? Sicherlich, wenn ſie nur recht fiſchen und den Reichthum uns

zuführen lernen. Anfänge sind da, nur mit den Fortsetzungen und Fort-
schritten geht es zu schläfrig und schwächlich. Die 3½ Procent Salzgehalt in der Nordsee gegen kaum 1½ in der Ostsee, der warme Golf-
strom, die mehr gleichmäßige Wärme, noch zum Theil ungeahnter und im
Ganzen schlecht benutzter Fisch- und Pflanzenreichthum mit Austern, Stock-
und Schellfischarten, Plattfischen, Aalen und Lachsen, welche in der Ostsee
nur ärmlich oder gar nicht vorkommen, sollten für den norddeutschen Bund,
der sich jetzt dieser freien, flüssigen Grenzen mit unbegrenztem Reichthum
rühmt, längst überfluthende und überzeugende Mahnungen geworden sein,
hier wirthschaftlich tüchtig zu- und tief hineinzugreifen. Die Engländer
machen es uns ja hier seit Jahren musterhaft vor. Jedes Frühjahr kommen sie mit fünf- bis sechshundert musterhaften Smacks in unser deutsches
Meer, holen sich für eine bis anderthalb Millionen Thaler Kabeljaus,
Schellfische u. s. w. heraus und schicken sie mit Dampf oder in Eis nach
England. Unsere Fischer haben es ja viel näher, bequemer und wohl-
feiler. Warum thun sie es den Engländern nicht zuvor? Sie verstehen es
nicht, sagt Marcard, sie haben kein Geld, keine Boote dazu. Unsere Seefischereigesellschaften in Hamburg und Bremen nahmen den Kampf auf
und mußten bis jetzt nur viel Lehrgeld bezahlen. Aber das ist nicht weg-
geworfen, wenn wir durch Schaden und Engländer endlich klug werden,
namentlich aber dem Staate beibringen können, daß er uns durch seine
Privilegien, Stromhoheiten, Servituten und fiscalischen Beschränkungen eben
so sehr schadet, wie sich selbst. Beispielsweise besitzt dieser Staat mit seinem
Dalai Lama von Fiscus in der Wesermündung die ausschließliche Gerechtig-
keit, mit Netzen zu fischen. Er verpachtet dieselbe für jährlich siebzig
Thaler. So viel zieht oft ein einziges seewasserscheues Boot aus dem
nicht oberhoheitlichen Wasser. Hätten wir Zeit, Raum und Lust, ein Sünden-
register solcher fiscalischen, servitutlichen, staatsoberhoheitlichen und sonst gesetz-
lichen Wasserrechte zu geben, würden wir wohl die Hauptgründe der Verkümmerung unserer Erntekunst aus dem Wasser beisammen haben. Befreiung und Unternehmungsgeist sollten zuerst der deutschen Küste zwischen
Ems und Weser zu Gute kommen. Diese Strecke nennt Marcard nach
Lage in der unmittelbarsten Nähe der reichen Nordsee, Güte der Häfen,
Verbindungen mit dem Binnenlande und nach seiner seefahrenden Bevölkerung für den Seefischereibetrieb ganz besonders bevorzugt, daher die
ärmliche Wirthschaft auch überraschend bedauerlich. Auf der Unterelbe,
d. h. von Hamburg bis zur Mündung treiben etwa 420 Fahrzeuge eine
schläfrig althergebrachte Fischerei, besonders nach Stören, um Elbcaviar
daraus zu machen, und dann noch nach Aalen.

An der schleswig-holsteinischen West- und Ostküste ist der Fischfang
frei, aber der durch Freiheit gewiß sehr lohnend werdende Austernbetrieb

fiscalisch bevormundet und deshalb auch unserem Munde schwer zugäng-
lich. Die meisten Fischer Schleswig-Holsteins, an beiden Küsten etwa 4000,
beschränken sich in althergebrachter, ärmlicher, durch Mangel an regel-
mäßigem Absatz verschrumpfter Weise meist auf die unmittelbare Küstenum-
gebung. Weiter draußen wimmelt es oft von außerordentlichem Reichthume
für die Engländer. Unsere Landsleute wagen sich in ihren schwachen,
alten Booten nicht so weit hinaus. Es fehlt an sicheren Landungsplätzen,
an Absatz unter der dünnen Bevölkerung und an raschem Vertrieb über
die Schienen. Letztere haben zum Theil endlich Einsicht bekommen, und
es läßt sich hoffen, daß sich an die Ostbahn, die Hannöverisch-westphälische,
Berlin-Hamburger, Schleswigsche, Berlin-Stettiner, Görlitzer, Anhaltische
und Leipzig-Dresdner, welche jetzt mit ihren Schnellzügen frische Seefische
bis weit ins Land hinein befördern, noch andere anschließen werden. Am
Tage gefangene und bis 5 Uhr auf dem Hamburger Bahnhofe abgelieferte
Seefische kann man am folgenden Morgen schon auf den verschiedenen
Verkaufsstellen der norddeutschen Eiswerke in Berlin für den Mittagstisch
finden, aber immer noch nicht so appetitlich auf Marmorplatten und zwischen
Eis, wie in London. Mit Dampf und Eis, besserer Verpackung und Ausstellung reichen diese Fische frisch und appetitlich auch bis Leipzig, Dresden
und ähnlichen Entfernungen von der Küste. Man muß besonders lernen,
die gefangenen Fische sogleich durch Schnitte zwischen Hirn und Rücken-
mark zu tödten; dann halten sie sich bei kühlem Wetter auch ohne Eis
24 Stunden und können bis Leipzig und Dresden feilgeboten werden. In Eis
können sie das ganze Jahr hindurch in ganz Deutschland auf den Markt
kommen. Beiläufig bemerkt ist die Wirthschaft mit Süßwasserfischen auf
unseren Binnenmärkten eine Schmach. Man bietet sie, halb erstickt in
schlechtem Wasser, krank, abgeschmackt und theuer, während man sie, unmittelbar aus dem Wasser gefangen, mit dem erwähnten Schnitt getödtet
und unterwegs feucht verpackt, viel gesunder, frischer und schmackhafter ver-
markten könnte. Wüßte man im Winter das umsonst zu habende Eis
etwas amerikanisch aufzubewahren, könnten diese Fische mitten im heißesten
Juli als doppelt willkommene Erfrischung geboten werden. In Amerika
liefert ein Morgen See oft binnen 48 Stunden für 500 Dollars Eis
und die Nordsee bot unter demselben Umfange von Oberfläche binnen derselben Zeit den dreifachen Jahres-Ertrag des besten Weizenbodens.

Mit Eis und der Eisenbahn kann man die frische Waare wohl in
allen Theilen Deutschlands verwerthen; jetzt geht sie mehr gesalzen und
geräuchert durch willkommene Aufkäufer gegen Baar aus Sachsen, Baiern
und vom Rhein nach Mittel- und Süddeutschland. Lernt man erst nach
englischem Muster besser räuchern, so werden viele Fischarten noch viel
appetitlicher. Ein deutscher Flüchtling, der in England zehn Jahre lang

alle möglichen Vorzüge des englischen Lebens, Wohnens, Essens und Trinkens
schätzen gelernt hatte, erklärte nach seiner Rückkehr, daß er sie alle ver-
schmerzen lerne, nur nicht die geräucherten und gebratenen Yarmouth-
bloaters. Es sind auch nur geräucherte Heringe, aber gegen unsere besten
Bücklinge verhalten sie sich wie Ambrosia zu Pellkartoffeln mit Salz ohne
Schmalz.

Nun einen Blick auf die Ostseefischerei, welche zunächst durch allerlei
Regale und gesetzlich geworbene Ungerechtigkeiten für Rittergüter und
einzelne Gemeinden, so wie durch Fischereigesetzgebung aller Art künstlich
verkümmert worden ist. Die Fischereigesetzgebung allein ist ein ungeheures
Netz von Widersprüchen und Verboten, worin sich mehr Fischer als Fische
fangen. Die mehr als 11,000 selbstständigen Fischer Neuvorpommerns
dürfen nur mit einem Scheine vom königlichen Fischmeister in Binnen-
gewässern und zwar unter allerlei Verboten und Beschränkungen ihr Heil
versuchen. Wo es Lachse giebt, darf oft nur der geheimnißvolle Fiscus
entweder selbst oder durch Pächter Netze werfen, so z. B. in der Mündung
der Wipper, so daß hier die Fischer und verarmten Strandbewohner nur
mit Hindernissen nach Heringen und Dorschen auslaufen können. Mit Freiheit
und seetüchtigen Fahrzeugen würden sie bald reich werden und uns im
Lande besser ernähren helfen. Im Stolper Kreise ist dem königlichen Hof-
kammergute Schmolsie für eine Strecke von 4¼ Meilen am Strande entlang das alleinige Fischereirecht zuerkannt worden. Was könnten Freiheit
und Capital in diesen und anderen verschlossenen Gewässern fischen und
fruchten! Die Ostseefischer wagen sich bis jetzt kaum drei deutsche Meilen
von der Küste hinaus. Jenseits derselben wimmelt es vielfach von kostbaren Schätzen, welche nicht gehoben werden. Im Regierungsbezirke Köslin
um Stolpe und Lauenburg herum findet man gute genossenschaftliche
Anfänge für Fischerei auf hoher See. Die achtzehn Genossenschaften
des Stolper Kreises besitzen neunzehn Boote mit noch nicht zweihundert
Theilnehmern für die Strandfischerei, die durchschnittlich höchstens für 10,000
Thaler Fische während des Jahres fangen. Nicht viel über fünfhundert
Thaler auf je ein Boot mit vier, fünf Menschen — zum Sterben zu
viel, zum Leben zu wenig angesichts unerschöpflicher Reichthümer! Auch aus
den vielen Buchten und Biegungen der ost- und westpreußischen Küste ließe
sich leicht der zehnfache Betrag der bisherigen Eruten gewinnen. Jetzt
hat ††† Fiscus die ganze Fischerei des Memeler Kreises für 400 Thlr.
verpachtet! Nur in der Danziger Bucht mit beinahe 1400 Fischern geht
es etwas lebhaft und mit Erfolg zu. Ihre Eruten sind auf jährlich
145,000 Thaler geschätzt worden. Diese kommen hauptsächlich aus Lachsen;
aber wenn man nach englischen und amerikanischen Mustern Brut- und
Zuchtanstalten anlegte, ließe sich der Gewinn wohl bald verzehnfachen.

Aus den Stichlingen des Pillauer Tiefs macht man Thran und scheint dabei bis jetzt nicht daran zu denken, daß alle mögliche werthlose Fische und Fischabfälle sich mit dem größten Vortheil in Guano verwandeln lassen. An dieser Ostseeküste hat man schon große Lotterien von Fischernten wieder ins Wasser werfen müssen, weil man für den Ueberschuß keinen Absatz, keine Verwendung fand. Fisch=Guano ist meist kräftiger als der theurere und bald erschöpfte von Peru. Dabei gewinnt man noch namentlich für Gerbereien werthvolles Fischöl; nur muß man es machen wie mit den Herings= und anderen Ueberflüssen in Amerika. Es ist gut, wenn sich die Bewohner der Ostseeküsten für große Heringsernten bereit halten. Als dort noch der Gott Svantevit angebetet ward, fischte man aus allen möglichen Gegenden hauptsächlich in der Ostsee Heringe, und die Fremden durften daran gegen eine Abgabe an diesen Gott theilnehmen. Besonders an den Küsten Rügens scheint der Heringsfang Jahrhunderte lang fabelhaft bedeutend gewesen zu sein. Johann Jakob Sell schrieb vor mehr als vierzig Jahren im gelehrten Latein ein Werk über diese Wunder der Ostsee, und Dr. Zober übersetzte es 1831 unter dem Titel: „Ueber den starken Heringsfang an Pommerns und Rügens Küsten im zwölften bis vierzehnten Jahrhundert." Er machte mehrere Zusätze, z. B.: Noch jetzt werden oft in einem Jahre zwischen Rügen und Neu=Vorpommern über 20 Millionen Heringe im Werthe von 22,500 Thalern gefangen." Und in der Stralsunder Zeitschrift: „Sundine" Nr. 14 von 1831 ist gemeldet, daß am 22. März dieses Jahres bei Groß=Zicker auf Mönchsgut das ganze Netz von unten bis oben mit Heringen vollgestopft gewesen. Man schöpfte vier Tage lang mit großen Schünnern oder Keffern immerwährend Heringe heraus und fand am 5., daß in diesem einzigen Netze 11,000 Walls à 64 Stück, also 966,000 Heringe gefangen worden waren. Außerdem bildeten die herandrängenden Massen einen dicken Saum und wurden von Füchsen und Raubvögeln verschlungen und massenweise wieder ins Wasser gedrängt, um sich vor deren Fäulniß zu schützen.

Wenn es nun diesem oder jenem Heringsfürsten einfallen sollte, seine Schaaren wieder in die Ostsee zu führen? Für diesen Fall muß man wissen, was mit ihnen anzufangen sei. Das Meiste kommt natürlich auf Hebung der Fischer und Fischerei an. Hier muß man, wie bei aller Gesetzgebung, an die Sitten und Gebräuche anknüpfen, welche sich aus dem flüssigen Leben an= und festgesetzt haben, also wesentlich an die genossenschaftlichen Bildungen. Marcard erwähnt noch die Maskopeis und Maatschappis der westpreußischen Küste. Es sind Fischervereine mit einem Schipper als Führer und Director für den Fang, den Verkauf der Fische und die Vertheilung des Gewinnes. In solche Bildungen muß man Geist und Geld stecken, ihnen nicht Gesetze geben, sondern von ihnen entnehmen; da wird aus dieser Verkümmerung und Armuth frisches, freudiges

Leben und Wohlstand weit und breit umher gewonnen werden. Ein Sach- und Ortskundiger sagt von dem Fischreichthum der Danziger Bucht allein, daß sie mit den nöthigen Mitteln sich von 145,000 Thalern bald auf eine Million jährlich steigern lasse. Man muß den Leuten Credit und auf diesen bessere Fahrzeuge und eine höhere Bildung für Benutzung derselben geben, außerdem die Regale, Oberhoheiten, Fiscalien und sonstige Chicanen möglichst rasch beseitigen. Für das geistige Capital würden Fischerschulen zu sorgen haben, Fischerschulen mit entsprechenden Aquarien, praktischen Vorträgen und Uebungen, für das materielle Vorschüsse auf vollkommene, seetüchtige Fahr- und Werkzeuge. Reichliche Zinsen dafür können nicht ausbleiben, wenn man staatliche und fiscalische Hindernisse weggeräumt und für Verwerthung, Einmache- und Räucherungsanstalten, Eis und Eisenbahnen gehörig sorgen gelernt hat. Was der Staat durch Aufgabe seiner Regalien und Fiscalien allein gewinnen kann, können wir aus dem sonst nicht als Schule der Weisheit empfohlenen Mecklenburg lernen. Dort überredete der Fischhändler Kaumann den Herzog, alle Servituten, die auf seinen Seen lasteten, aufzuheben. Der Herzog that es, und Kaumann bezahlt jetzt zehnmal so viel Pacht von seinem zwanzigfach gestiegenen Gewinn, und seine Karpfen, namentlich Zauber, sind beliebt und werden hoch bezahlt bis für die feinsten Tafeln von Paris. Ueberhaupt liegt in Abschaffung von dergleichen alten Gesetzen oft mehr Segen und Gewinn als in der Fabrikation von tausend neuen Paragraphen.

Die fünf Commissionen des deutschen Fischereivereins, für Transporterleichterungen (Oberregierungsrath Greif), Seefischerei (Professor Dr. Peters), Binnenfischerei und künstliche Fischzucht (Professor Dr. Virchow), Fischereigesetzgebung (Dr. v. Bunsen) und Krebszucht (Peters) haben ein reiches Feld der Anregung und Wirksamkeit vor sich. Möge es ihnen mit Unterstützung des Volks und ohne Hindernisse durch den Staat und die Polizei gelingen, das schreiende Elend auf dem festen Lande durch Segen aus dem Wasser verbannen zu helfen. Eine gute Richtung ist mit der beabsichtigten Einbürgerung von Sterletts genommen. Wir müssen besonders Eß- und Edelfische künstlich züchten und von außerhalb einbürgern lernen. Unsere Ukleie, Plötzen, Barsche und Bleie und dergleichen Süßwasserproletarier, welche unsere großen Grundbesitzer zuweilen bis zum Ueberdruß aus ihren sonst vernachlässigten Teichen und Seen fischen und unsere Fischweiber für schweres Geld mißlaunig aus ihren unappetitlichen Fässern bieten, sind nicht im Staube, gebildete Gaumen zu reizen und Geld und Geist für wahre Bewirthschaftung des Wassers flüssig zu machen.

Friesen und Franzosen.

Die seit Jahrhunderten durch ihren Freiheitssinn berühmten Friesen leben hauptsächlich von See- und besonders Austernfischerei. Der Hauptsitz letzterer ist Amrum. Aber ihre Erntegründe sind zum Theil verwüstet und verwaist. Die Amrumer Austernfischer ruderten auch vorigen Herbst mit ihren fünfzehn Booten und höchstens funfzig Mann nach ihren Ernte-feldern aus, die sich auf versunkenen Ortschaften, Acker- und Wiesenlände-reien Nordfrieslands gebildet haben, aber sie zogen mit ihren „Schabern“ mehr ungenießbare Seesterne, Seemäuse und untergeordnete Muscheln als Austern empor. Der seit Jahrzehnten mit Eifer und Aufopferung an-regende Generalconsul Sturz hat für seine Mühen und Anstrengungen meist Undank geerntet, und auch die von ihm in Berlin begonnene Gesell-schaft für künstliche Austernzucht zerschlug sich aus Mangel an Muth und Betheiligung. Wir werden es noch zu bereuen haben, daß sein Wirken und seine Werke für den Fischfang auf hoher See und die künstliche Austern-cultur so wenig beachtet wurden.

Doch zurück zu unseren freien, frischen Friesen. Sehen wir uns auf ihrem kleinen Austern- und Jahrmarkt, in ihrer Hafen- und Hauptstadt Wyk auf der Insel Föhr um. Er findet immer im Herbste nach der ersten Austernfahrt statt. Kommen wir zu rechter Zeit auf irgend einer der Inseln und Halligen an, so können wir überall in Booten und bunt bewimpelten größeren Fahrzeugen mit hinüber segeln, denn es bleibt nirgends gern Jemand zu Hause. Der kleine Hafen strotzt von Booten, und auf den Straßen und dem Marktplatze drängt sich eine malerisch gekleidete lustige Menge. Die treuherzigen Halligmänner mit ihren ver-wetterten Seemannszügen und ihre geputzten Frauen und Mädchen mit ihren frischen Gesichtern unter den zuckerhutförmigen Turbanen; die Schön-heiten von Sylt, unter deren weißen Kopftüchern das nordische Blond hervorquillt, Fischermädchen von Röm und Fanoe, besonders malerisch in ihren kurzen rothen Röcken auf elastischen und sich ihrer Waden-Fülle freuenden Füßen wandelnd, die Krämer und Krämerinnen aus Husum und Bredstädt mit allerlei verführerischen Posamentier- und Galanteriewaaren, kostbarere Schätze der Civilisation aus Hamburg u. s. w. und sonstige Merk-würdigkeiten des Jahrmarkts schichten und schieben sich zu wandelnden Lebens- und Genrebildern, wie wir sie wohl laum so naiv und nett auf irgend einem Markte des Lebens wieder beisammen finden. Für uns ist es eine kleine, für diese Insulaner aber die große Welt, aus der sie beladen mit Schätzen und Neuigkeiten für den ganzen Winter lustig und lebensvoll in ihre stillen Winterhütten zurückkehren. Wie ist es aber möglich, so abgeschlossen von allen Freuden der Civilisation sich durchzuwintern? O, sie verstehen auch zu leben und sogar zu lieben. Auf dem stillen Amrum wird es Abends und Nachts oft recht lauschig und lebendig. Man „fenstert" nach alter, guter Sitte auf allen friesischen Inseln. Der schon erklärte oder auf dem Jahrmarkte angenommene Liebhaber steigt ohne Laterne und Straßenbeleuchtung durch das zufällig offen gelassene Fenster in die Kammer seiner Auserkorenen und trägt ihr mit spärlichen Worten zwischen halbe Stunden langen Gedankenstrichen, stummen Liedern ohne Worte, die Wünsche seines Herzens vor. Darüber können Stunden vergehen, ohne daß das Paar an etwas Arges denkt oder sie Jemand stört. Das Zutrauen zu ihnen ist allgemein so groß, daß jede Einmischung für eine Beleidigung gilt. Nur wenn ein solcher Friese, der vielleicht einmal in Hamburg gewesen, so civilisirt geworden wäre, daß er während desselben Winters in den Verdacht käme, zwei verschiedene offen gelassene Fenster mit seiner durchsteigenden Persönlichkeit beehrt zu haben, wird er von den anderen jungen Burschen so gehänselt, daß er seine Doppelgängernatur bald aufgeben muß. Das friesische „Fenstern" gilt immer als Weg in die Kirche zum Traualtar. Wer liebt, denkt sofort ans Heirathen, und da sie meist Alle einfach, stark und gesund sind, wenig Bedürfnisse und daher keine Nahrungssorgen haben oder fürchten, führt diese Liebe durchs Fenster auch immer bald zu einer glücklichen Ehe. Nach dem Jawort kommt bald der „Ausbringetag", der darin besteht, daß das junge Brautpaar sich im besten Sonntagsstaate öffentlich zeigt und Glückwünsche einsammelt. Dies beginnt mit einem gemeinschaftlichen Besuch der Kirche. Vorher gingen sie nie zusammen, jetzt aber zum ersten Mal Arm in Arm zum Gottesdienste. Die Braut trägt dabei vielleicht einen ganz funkelnagelneuen National-staat, den durch Farbencontrast harmonirenden rothen und grünen Rock mit weißer Schürze davor und der silbernen Kette, welche das Mieder über dem Busen schließt. Vor ihrem warmen Herzen hängt ein silbernes an der Kette. Unter dem weißen Kopftuche oder dem ebenso weißen spitzigen Turban erröthet ein frisches, jungfräuliches Gesicht mit blonden oder braunem Haar. Der Bräutigam trägt eine feine, neue Seemannstracht unter dem üblichen Kirchenrocke. Nach der Kirche bietet ihr der Bräutigam vor der Thür draußen seinen Arm, führt sie heim und macht Nachmittags bei Freunden und Verwandten mit ihr die Runde, wobei sie nicht selten mit Ehrenschüssen begrüßt werden.

Auf der Insel Sylt wird weniger durch's Fenster als an der Haus-thür geliebt. „Bi Düür stunnen", bei der Thür stehen, heißt Vorbereitungen zur Liebe und Ehe machen. Die ledigen Burschen gehen Abends nach gethaner Arbeit in ein Haus mit einer heirathslustigen Tochter. Hier sitzen sie in der Stube oder im „Pesel", d. h. dem großen Gesellschaftszimmer mit der ganzen Familie beisammen, sagen wenig und rauchen viel dazu. Endlich klopft Einer seine Pfeife aus, sagt gute Nacht und läßt sich von der Tochter bis zur Thür begleiten. Hier stehen sie oft eine Stunde lang warm bei kältester Temperatur, ohne sich durch etwa Vorüber= oder Aus= und Ein= gehende stören zu lassen. Auch müssen die Gäste in der Stube warten, bis die Tochter zurückkehrt. Dann verabschiedet sich ein anderer Bursche und steht wieder eine Weile mit ihr bi bi Düür. Und so geht es fort, bis der letzte Junggeselle dieselbe Ehre genossen.

Sowohl das Mädchen als die Burschen gewinnen auf diese Weise Gelegenheit, auszusuchen und zu wählen. So langweilig und kalt uns das erscheint, ist diese Art, sich einen Mann, resp. eine Frau zu wählen, doch praktischer und angemessener, als etwa unsere Ballbekanntschaften, Ver= mögens= und Standesabwägungen, welche in den heiligen Staub der Ehe führen.

Doch von Liebe können auch sie nicht leben. Wovon nähren sie sich? Von der erschöpften und vernachlässigten Austernfischerei und sonstigen un= wirthschaftlich geernteten Schätzen des Meeres. Bisher ist es wohl so ziemlich gegangen; aber die Leute werden ärmer und ärmer und sollen doch erhöhte preußische Steuern zahlen. Da müßte man ihnen wenigstens zu besserer Steuerkraft verhelfen, künstliche Austernzucht anlegen und lehren und für ihre Fische sicheren und regelmäßigen Absatz anbahnen. Wie dies ge= macht wird, werden wir an den französischen und englischen Küsten kennen lernen.

Lassen wir uns im Geiste mit günstigem Winde und beschwingten Fahrzeugen über das fruchtbare deutsche Meer nach der französischen Küste führen und in der ersten Woche des November in der berühmten Bucht von Arcachon ankommen. Welch Schauspiel! Küsten und Inseln sind ge= drängt voll freudigwinkender, jubelnder Zuschauer. Die salzigen Fluthen dazwischen wimmeln von Wimpeln, Flaggen, Fahnen und vollgedrängten Booten aller Art. Unter ihnen an der Küste und den Inseln entlang und noch weit landeinwärts strecken sich, regelmäßig abgetheilt, die künft= lichen Erntefelder Neptuns in Form von Austernparks.

Um die Vogelinsel herum vermuthet man die dichtesten Lager dieser neptunischen Sahnentorten, weshalb sich hier die Boote voller Weiber und Kinder mit allen möglichen Erntewerkzeugen, Harken, Schaufeln, porte= monnaieartigen Netzen, Sieben, ja sogar Schmetterlingsfängern am leiden= schaftlichsten und lautesten drängen und ängstlich des ersehnten Kanonen= schusses harren, der ihnen jedes Jahr in dieser ersten Novemberwoche jetzt auf eine Stunde freien Austernfang eröffnet. Durch das endlose Jauchzen und Jubeln ruft endlich der dunkle Kanonenmund seine dumpf donnernde Erlaubniß über die Fluthen, und nun beginnt eine Plünderung im Reiche des Meeresgottes, wie sie ohrenzerreißender, leidenschaftlicher, massenhafter und volksthümlicher weder zu Wasser noch zu Lande jemals wieder zu finden sein mag. Es ist eine Barbarei, welche dieser künstlichen Austernzucht und solid begründeten Meerescultur gegenüber nur durch die Macht der alten Volkssitte einigermaßen entschuldigt werden kann. Die Stunde schlägt und die Kanone donnert ihr „Halt", welchem Jeder ohne Ausnahme augenblicklich gehorchen muß, wenn er nicht aus Fernröhren vom Lande her noch im Wasser beschäftigt ertappt und am Ufer aller seiner Beute beraubt werden will. Es wäre ein Buch werth, zu schildern, was diese Hunderttausende von Händen und Fanggeräthen während der Stunde neben Austern an Wundern und kleinen Ungeheuern der dicht bevölkerten Salzfluthen aufgefischt haben.

Der Hauptsitz künstlicher Austernzucht in Frankreich ist diese stürmische Bucht von Arcachon zwischen den Mündungen der Gironde und des Adour an der Westküste. Stürme, Sand und Schlamm erschweren hier die Bewirthschaftung des Wassers; aber gleichwohl versprach Professor Coste, der erste Pionier dieser Cultur, daß man hier auf künstlichem Wege für jährlich 20,000,000 Frcs. Nahrungswerthe aus dem Wasser ernten könne. Die Hoffnungen sind zwar zum Theil schon wieder zu Wasser geworden, und der Wiener Professor Dr. Schmarda, der diese ganze Cultur des Meeres in Frankreich im Auftrage des Ackerbauministeriums untersuchte und darüber berichtete, fand viele dieser kostbaren Austernparks entweder in Verfall oder unter unvollständiger Bewirthschaftung, so daß sein Buch nicht ermunternd wirken kann. Aber erstens konnte er während seiner fünf Wochen die viele Meilen ausgedehnten cultivirten Meeresflächen nicht genau studiren, zweitens sind augenblickliche Mißernten in Folge von Vernachlässigung oder Mißverständniß nicht maßgebend und drittens gesteht er selbst, daß die französischen Principien der Wassercultur noch sehr haltlos und widerspruchsvoll seien und diese ganze organische, praktische Naturwissenschaft noch in den Kinderschuhen stecke. Ritter von Ergo, sein Nachfolger in diesem Studium, berichtet schon viel günstiger. Das muß uns Deutsche, die wir durch den französischen Schaden das Capital unserer Klugheit noch beträchtlich vermehren können, grade zur rationellen Bewirthschaftung des Wassers ermuthigen. Das Bassin von Arcachon, zur Fluthzeit von mehr als 15,000 Hectaren Oberfläche, die mit jeder Ebbe unter 5000 sinken, ist von Natur sehr ungünstig, aber der Staat und Privatleute haben kühn ungeheure Summen in Form von Austern und abgeschlossenen Parks für deren Zucht hineingesäet. Die Erfolge waren zum Theil glänzend, aber neuerdings wieder kärglich, so daß man noch viele Verbesserungen anbringen und verwerthen lernen muß, ehe die gehofften 20,000,000 jährlich gewonnen werden können. Im Jahre 1866 bestand die ganze maritime Production an Austern, Sardinen, Aalen, Harders, Miesmuscheln u. s. w. für vier Schraubendampfer, 514 Boote und beinahe 1000 Fischer in noch nicht 1,000,000 Frcs., aber man ist noch in der Schule, für die man bezahlen muß, um das darin gewonnene Wirthschafts- und Erfahrungscapital später zu verwerthen. Die Einbürgerungsversuche mit werthvollen ausländischen Fischen und Austern fielen nur deshalb unglücklich aus, weil man es nicht recht anfing. Man hat also für weitere etwas gelernt. Der naturwissenschaftliche Verein von Arcachon verspricht in dieser Beziehung die besten Erfolge. In seinem vorzüglichen Seeaquarium mit zweiundzwanzig Abtheilungen unter Glasverkleidung und fünf großen Bassins im Niveau des Meeres, seinem meteorologischen Observatorium, der zoologischen Sammlung und mit Hülfe seiner vorzüglichen Bibliothek hat und erwirbt er immer noch neue Mittel, für die Entwickelungsgeschichte und Acclimatisation der Nutz- und Nahrungsthiere im Wasser Vorzügliches zu leisten.

Im Gebiete Royan giebt es keine künstliche Austerninbustrie, aber eine reiche, der gierigen Scharre unzugängliche natürliche Bank, deren Mutteraustern eine solche Fülle von Brutschwärmen aussenden, daß sie hoffentlich verwaiste Bänke wieder bevölkern und frische Saat für unzählige künstliche Parks liefern werden.

Das berühmte Marennes, nördlich von der Girondemündung, hinter den durch künstliche Austernzucht bereits culturgeschichtlich gewordenen Inseln Ré und Oléron war einst auf seinen dreiundzwanzig natürlichen Austernbänken freudiger Tummelplatz einer dichten Küstenbevölkerung: aber achtzehn davon sind durch gierigen Raub völlig erschöpft, und die fünf anderen liefern nur noch kümmerliche Erträge; doch bilden zwei künstliche Veredlungsanstalten für allerhand Meeresproducte und die Miesmuschelcultur schon wieder einträgliche Gewerbe. Außerdem geben die „Claires" oder Erziehungs- und Mastanstalten für Austern, sowie die Zucht grüner Austern von Tremblade und Marennes gegründete Hoffnung auf glänzende Erfolge.

Nicht weit davon finden wir die ausgezeichnete Anstalt für künstliche Fisch- und Austernzucht des Dr. Vattanbier, vier Kilometer vom Meere und durch einen Canal, der zugleich Salzgärten speist, mit demselben lebendig verbunden. Der sie umgebende Erdwall schließt 3½ Hectaren Oberfläche ein, innerhalb welcher niedrigere Dämme mehrere Reservoirs für verschiedene Fische bilden. Die junge Fischbrut wird im Frühling instinctmäßig durch den Canal in das seichte ruhige Wasser der Reservoirs getrieben, welche dann durch eine Schleuse geschlossen werden. Während der Springfluth bringt blos so viel Wasser ein, daß die erforderliche Höhe erhalten wird. Der bläuliche Thon als Grund gilt für sehr günstig.

Die hier gefangenen Fische, Harders, Aale, Platteisen, Soolen, Sardinen, Rothbärte, Seebarsche u. s. w. werden hier erzogen, mit Schrimps und Schlachthausabfällen gut gefüttert und können so immer ohne Umstände nach Bedarf und Nachfrage vortheilhaft vermarktet werden. Da es nun im Quartier Marennes noch dritthalbhundert solcher Fütterungs= reservoirs giebt, kann man sich denken, wie vortheilhaft sie auf die Fisch= märkte und die Nahrungsbedürfnisse der Bevölkerung wirken. Dazu kom= men um die Insel Oléron herum noch über zweihundert solcher Reservoirs und über viertausend künstliche Austernparks und Claires.

Noch cultivirter sind die Küsten der Insel Ré mit 3337 Parks und 972 Claires. Unsere Abbildung stellt eine solche Austernpark=Gegend im Werden der Küste dieser Insel dar. Sie mag sich durch sich selbst erklären und als Bild und Muster der Erweiterung unserer Erntefelder und Nahrungs= quellen in das freie Meer hinaus Phantasie und Unternehmungsgeist be= fruchten helfen. Der berühmteste Austernenthusiast hier, Dr. Kemmerer, deutscher Abkunft, hat freilich, wie andere Collegen, viel Unglück gehabt und deshalb ebenfalls Fütterungsreservoirs für Fische angelegt. Obgleich er auch damit große Verluste hatte, ließ er sich doch nicht entmuthigen, sondern benutzte seinen Schaden und seine Erfahrungen zu neuen besseren Versuchen, dem unerschöpflichen Meere durch praktische Kunst und Wissen= schaft lohnende Ernten abzutrotzen. Noch hat er so viel Feuer fürs Wasser, daß ihn einmal ein Besuch mitten im Wasser und Regen kahlköpfig und ohne Deckel schwitzend beschäftigt fand. So muß man es machen, um endlich die launische, rohe Natur zum vernünftigen Gehorsam und zu fruchtbarer Bildung zu zwingen.

Die alte Miesmuschelcultur in der Bucht von Aiguillon wollen wir hier nur beiläufig erwähnt haben und uns auf Angabe des Ertrages von 1516 solcher Muschelfarms im Jahre 1866 beschränken. Die Ernte hatte einen Werth von 796,770 Francs. Während der folgenden Jahre (1867—69) soll sie durchschnittlich auf je 1 Million gestiegen sein.

In der Bretagne ist die Austernfischerei, wenigstens an der Süd= küste, noch immer wichtig, und die Erschöpfung der natürlichen Bänke wird ebenfalls nach Kräften durch künstliche Zucht ersetzt.

Im Quartier d'Auray warf die künstliche Austernzucht 1866 ziemlich 200,000 Frcs. ab. Ein Fischreservoir von 80 Hectaren Oberfläche von der Prinzessin Bacciochi angelegt, ist wenigstens ein Beweis, daß sich auch Frauen mit hochadeligem Blute für diese kalte Kunstindustrie erwärmen können.

Nun kommen wir zu einer maritimen Musterteichwirthschaft, die wir für unsere Seeküsten und einen rationellen Handel mit Fischen nicht genug empfehlen können. Sie befindet sich an der Mündung des Flüßchens Etel, wo mehrere seichte Flächen mit einzelnen natürlichen Gräben sich auf einem vorzüglichen Sand=, Schlamm= und Muschelboden ausbreiten. Schmarda schildert die Anstalt so: „Der untere Theil verengt sich nach einem großartigen Schleusenapparat. In einem Querdamm befinden sich drei Oeffnungen, von denen jede durch eine Doppelschleuse geschlossen wird, und zwar nach Außen durch einen Schutz, nach innen durch eine zwei= flügelige Thorschleuse mit stumpfen Winkeln und verticalen Axen. Hinter dem Schleusenthor befindet sich eine starke Verpfählung, wie ein großer trapezoidaler Rahmen, dessen Basis in der Oeffnung liegt. Die entgegen= gesetzte kleine Seite, so wie die beiden langen convergirenden Seiten haben an allen Pfosten Einlässe, in denen sich Gitter von Eisendraht zwischen Holzrahmen auf und ab bewegen oder ganz ausheben lassen. Die Gitteröffnungen sind so klein, daß Fischbrut zwar eintreten, aber größere Fische nicht entweichen können.

„Die Besatzung des Teiches besteht aus den üblichen Brakwasser= fischen, aber auch kostbaren Steinbutten und sonstigen Plattfischen. Mies= und andere Muscheln liefern durch ihre junge Brut, und Schrimps, sowie die Larven niederer Thiere den darin aufbewahrten Fischen reichliche Nahrung umsonst. Die Hauptcanäle gewähren durch fünf, sechs Meter Tiefe ziem= liche Sicherheit gegen Frostschaden. Dabei hat man in den Canälen auch Austern gesäet. Ein großes, gemauertes Reservoir dient zur Aufbewahrung und Vervollkommnung der Fische für den Markt." — Man begreift leicht, wie wichtig solche Anstalten grade für die eigentlichen Fischereihäfen sind. Ohne solche zugängliche Zucht= und Aufbewahrungsteiche müssen glücklich aus dem Wasser gezogene große Loose theils spottbillig verschleudert, theils gar als unverwerthbar wieder ins Meer geworfen werden, da es in unseren Fischereihäfen nicht einmal Vorrichtungen giebt, plötzlichen Fischüberfluß in directen Guano zu verwandeln. Die Aalfischerei war bereits vorüber und Hunderte von großen schönen Aalen harrten in einer schwimmenden Vivière ihrer Bestimmung für Markt und Magen. Daneben ist hier die Fischerei auf hoher See von Bedeutung. Namentlich sind die Sardinen, deren man in einem Jahre über 105 Millionen fing (d. h. für 1,074,000 Frcs.), wegen ihrer Größe sehr willkommen.

Im Quartier l'Orient (alle Fischereidistricte sind nach französischer Art mathematisch und militärisch streng abgetheilt, so daß das Privateigen= thum genau begrenzt und durch besondere Wächter geschützt ist), also in diesem Quartier war der Austernertrag ungemein ergiebig. Außerdem ist eine hier angelegte künstliche Hummernzucht sehr beachtenswerth. Die Sardinenernte brachte hier 1866 beinahe 2,000,000 Francs ein und schwankte später mehr darüber, als darunter.

Auch im Quartier Quimper mit dem Hauptfischorte Concarneau ist die Sardine das einträglichste Product. Besonders beachtenswerth in diesem Städtchen ist die Anstalt für künstliche Zucht von Seethieren,

die Professor Coste (mit 100,000 Frcs. von der Regierung) anlegen ließ.
Sie liegt unmittelbar am Meere und besteht aus einem Gebäude mit zwei
Etagen und mehreren Bassins mit Granitdämmen, in denen gefangene
Fische und Crustaceen für den Markt aufbewahrt und mit dem größten
Gewinn gefüttert werden. Deutschland hat Hunderte von Meilen Seeküste,
aber wo nur eine Ahnung von solchen Anstalten, wie sie in Frankreich vom
Staate und dem Unternehmungsgeist Einzelner immer zahlreicher angelegt
werden?

Edel- und sonstige werthvolle Fische aller Art, darunter auch Hum-
mern, gedeihen bei reichlicher Fütterung in dieser Anstalt unter der zugleich
wissenschaftlichen Leitung des Herrn Gaillou vortrefflich, und ein großes
Aquarium mit hundert Abtheilungen sorgt zugleich für Acclimatisation und künstliche Ausbrütung von Fischeiern. Frisches Wasser wird
durch eine Windmühle immer von unten hineingetrieben, so daß sie das
Wasser immer gehörig durchmischt und sauerstofft. Welch' lebhaften Antheil
auch gewöhnliche Leute, besonders Fischer, an dieser wissenschaftlichen Anstalt
nehmen, ersah man aus dem dichten, wißbegierigen Gedränge um alle
Abtheilungen herum. Auch giebt es besondere Zimmer für wissenschaftliche
Arbeiten. Schmarda fügt hinzu: „Der volkswirthschaftliche Fortschritt ist
an solche Versuchsanstalten gebunden, und sie sind für eine rationelle Bewirthschaftung der Meeresküsten (wie des Wassers überhaupt) wichtiger
und nothwendiger als für die Landwirthschaft, weil die Grundsätze der
Wasserwirthschaft erst festgestellt werden müssen. Daß dergleichen noth-
wendig ist, um der bloßen Ausbeutung und Raubwirthschaft ein Ende zu
machen, geht aus der Betrachtung eines großen Theiles der europäischen
Küsten nur zu deutlich hervor. Solche Anstalten dürfen aber keine halben
Maßregeln bleiben, sondern müssen mit Naturforschern und den noth-
wendigen wissenschaftlichen Apparaten besetzt werden. Sie gedeihen dann
gewiß besser, als wenn ein berühmter Mann einem kostbaren Institut seinen
bloßen Namen leiht und sich selbst fern hält." Man sollte dergleichen Anstalten, wie das Berliner Aquarium, auf Actien, genossenschaftliches Geist-
und Geld-Capital gründen.

Von den anderen Quartieren erwähnen wir noch La Manche,
dessen seegeübte Bevölkerung sich bis zur Neufundland-Bank hauptsächlich
mit der Hochseefischerei beschäftigt und in einem Jahre für mehr als
14,000,000 Frcs. Stockfische einerntete; ferner das Quartier Paimpol
mit hundert Austernparks, Saint Brieuc mit siebenundvierzig Parks
und sieben Depots und besonderen Anstrengungen der französischen Marine-
verwaltung, die einst so reiche und doch ausgeplünderte Bucht wieder zu
bevölkern; das Quartier Cancale, wo vor vierzig, fünfzig Jahren noch
jährlich zwischen 60 und 70 Millionen Austern gefischt wurden, welche

dann später so erschrecklich schnell abnahmen, daß man mit besonderer Gier zu künstlicher Zucht seine Zuflucht nahm. Es bestehen jetzt 27 Parks und 1173 Depots, die in glücklichen Zeiten manchmal 200 Millionen Austern enthielten.

Regneville ist durch den Reprobcutionspark der Madame Sarah Felix, Schwester der Rachel, berühmt geworden, namentlich seitdem er für 80,000 Frcs. neuerdings bedeutend verbessert worden. Auf der anderen Seite liegen zwanzig Claires, so daß wir hier, wenn bei uns einmal ein seewirthschaftlicher Geist erwachen sollte, besonders viel lernen könnten. Auch die Parks von Courseulles, besonders für Veredelung von Austern und Fischen und für den Betrieb derselben, sind eines eingehenden Studiums werth.

Wir wollen hier nicht weiter gehen, sondern nur noch eine Gesammt-übersicht der französischen Ernten aus dem Wasser in den fünf Arrondissements oder Seepräfecturen geben. Diese sind Cherbourg, von der belgischen Grenze bis zum Flusse Ay, Brest, von da bis zur Bellore, L'Orient bis zur Bucht Bourgneuf, Rochefort bis zur spanischen Grenze und Toulon, welches die ganze französische Mittelmeerküste umfaßt. An allen diesen Küsten zogen im Jahre 1866 etwa 100,000 Fischer in 1500 Fahrzeugen für mehr als 58 Mill. Francs Fische und sonstige Nahrungswerthe empor. Die Austern spielen dabei mit einem Ertrage von 1,676,000 Frcs. im Vergleich zu früheren Zeiten eine jämmerliche Rolle. Von den letzten Jahren fehlten mir zuverlässige Angaben. Wir dürfen nicht vergessen, daß viel über 7000 neuerdings angelegte Austernparks trotz vieler anfäng-lichen Mißerfolge gegründete Aussicht auf spätere richtige Behandlung und den stolzesten Ertrag gewähren. Jedenfalls ist es eine unauslöschliche Nationallehre Frankreichs, daß Staat und Privatkräfte sich mit wahrer Leidenschaft, ohne welche nach Hegel niemals etwas Großes geschehen ist, der Seewirthschaft und besonders der künstlichen Austernzucht hingegeben haben. Die Auster ist nicht blos eine Delicatesse für Gourmands, sondern eines der wohlthätigsten, gesundheitlichen Nahrungs- und Erquickungsmittel für alles Volk, und ganz besonders für schwache und gefährlich kranke Per-sonen oft das einzig richtige Nahrungs- und Heilmittel zugleich. Wahr-scheinlich nähren sie auch auf die wohlthuendste Weise die Geisteskräfte. Ich habe mich darüber in meinem Buche: „Die Bewirthschaftung des Wassers", so ausführlich und eingehend ausgesprochen, daß ich mit gutem Gewissen darauf verweisen kann. Weil ich darin ebenfalls sehr ausführlich über die reiche Fischcultur Englands, namentlich die nach französischen Er-fahrungen verbesserte künstliche Austernzucht, das Lachsseminar zu Stor-montfield und sonstige Anstalten berichtet habe und seitdem keine weiteren Fortschritte von Bedeutung bekannt geworden sind, unterlasse ich es, den

Leser um die englischen Küsten herum zu führen. Ich erwähne nur, daß vorigen Herbst von hier wieder ein besonderes, mit 110,000 Lachseiern geladenes Schiff nach Neuseeland abging, um die erste Sendung für Acclimatisation unseres kostbaren Fisches in den herrlichen Flüssen jenes fernen Insellandes zu vervollständigen, und daß man in den australischen Flüssen diesen Fisch schon eingebürgert hat, ebenso wie den Ungeziefer vertilgenden Spatz unter australischen Dächern.

Nahrung und Genuß aus dem Wasser ist durchweg leicht verdaulich und gemischt mit Fleisch und Vegetabilien eine so angenehme und entschieden auch der Geistesthätigkeit förderliche Zwischenspeise, daß sie cultivirte Völker ohne Nachtheil für ihren materiellen und geistigen Wohlstand nicht entbehren können. Auch bilden Fischgerichte ohne alle Zuthaten namentlich für die arbeitenden Klassen und deren Frauen, die nicht viel Zeit zum Kochen haben, das bequemste und schnellste Mittagsmahl, wobei die Abfälle als Nahrung für Fische oder Dung für Landesproducte und bei größerem Ueberfluß sogar als Viehfutter nicht übersehen werden dürfen. Namentlich fressen Rinder und Pferde, wenn sie einmal erst daran gewöhnt sind, mit Gier und Vortheil gern Fische. Dr. Smith in Provincetown in Amerika erzählt, daß bei ihm die Kühe ins Wasser gehen und theils Fischabfälle aufsuchen, theils sogar lernen lebendige Fische zu fangen und mit wahrer Wollust zu zermalmen, wodurch sie an Milchreichthum und Fleisch zunehmen. Die norwegischen Pferde haben, wie Brehm erzählt, eine wahre Leidenschaft für Stockfische in jeder Zubereitung. An der Küste von Coromandel und anderen Küsten des Orients füttert man die Kühe hauptsächlich mit Fischen. Und schon John Batuta, der im vierzehnten Jahrhundert durch das Land Yemen reiste, berichtet, daß von Zafar aus, der östlichsten Stadt dieses Landes, ein bedeutender Handel mit Pferden nach Indien betrieben werde und man diese Pferde, um ihnen Glanz und Kraft zu geben, vorher und auf der Reise hauptsächlich mit Fischen speise. Bei uns werden Lebensmittelpreise für all sündhaft Vieh und Menschenkind immer theurer, und selbst in wasserreichen Gegenden wüthen Hungersnoth, Typhus und sonstige Kinder des Elends, weil wir dem kargen Boden abzuringen suchen, was uns das Wasser bei gehöriger Bewirthschaftung wie umsonst, wie als Geschenk der vernünftig behandelten Nixen und Nymphen liefern würde. Wir verstehen von der Bewirthschaftung des Wassers unter allen cultivirten Völkern bis jetzt das Wenigste. Unsere künstliche Fischzucht beschränkt sich noch auf einige untergeordnete Privatanstalten.

Der Culturgeist für die flüssigen Gefilde ist überall erwacht; aber wir in Deutschland werden mit den regsamsten Köpfen und Capitalien lange zu thun haben, ehe wir die großartigen Unternehmungen auf diesem dankbaren Gebiete in anderen gebildeten Staaten nur einigermaßen für unser materielles und geistiges Wohl benutzen lernen. Also frisch und freudig ans Werk!

Künstliche Austern- und Fischzucht in Amerika.

Aus Washington ist mir der über 50 Druckbogen starke amtliche Jahresbericht über die Zustände und Fortschritte der Bewirthschaftung des Landes und Wassers in sämmtlichen vereinigten Staaten mit vielen Hunderten von Abbildungen, namentlich in Bezug auf künstliche Fischzucht, zugegangen. Wir bewundern darin zunächst die verschiedenen Bilder zur Veranschaulichung des neuen landwirthschaftlichen Ministerialpalastes zu Washington mit seinem Reichthume von architektonischen Schönheiten und praktischen Einrichtungen für ein landwirthschaftliches öffentliches Museum. Herrliche Parkanlagen mit naturwissenschaftlich geordneten Gruppen von Bäumen, Sträuchen, Pflanzen und Blumen aller Art, Springbrunnen, Fahr= und Fußwegen, Bildsäulen u. s. w. umgeben eben so schön als zweckmäßig das prachtvolle Bauwerk. Das dicke Buch enthält Hunderte von Berichten· auserwählter Sachkenner, land= und wasserwirthschaftlicher Thätigkeit und ihrer zum Theil erstaunlichen Fortschritte aus allen Gebieten dieser Lebenswissenschaft und sämmtlichen Staaten. Besonders ausführlich und erfreulich fällt der Bericht über Bewirthschaftung des Wassers aus. In meinem Buche konnte ich mich schon sehr ausführlich anerkennend darüber aussprechen. Seitdem sind wunderbar viel Fortschritte gemacht worden. Die für jeden Staat angestellten Fischerei=Commissionäre vereinigten sich zu Ende des Jahres 1868 zu einem allgemeinen Congresse und berichteten namentlich über die blühende Zucht von Alosen, Lachsarten, besonders aber Forellen, künstliche Brut= und Zuchtanstalten, Förderung aller betreffenden Bestrebungen, Schonungszeit und Verhinderung aller möglichen Arten wilder und schädlicher Beraubung der Gewässer. Seitdem haben sie auch manches praktische Gesetz durch den Congreß ins Leben gerufen. Die betreffenden Einzelheiten sind im Kurzen folgende:

Jeder Fischerei=Commissionär hat für einen Durchschnittsgehalt von jährlich tausend Dollars die Gewässer seines Staates für Förderung künstlicher Fischzucht zu untersuchen, dieselbe zu lehren, Bestrafung von Vergehen gegen die Gesetze zu veranlassen und Berichte und Rathschläge an den gesetzgebenden Körper einzuliefern. Erste Helden unter diesen Commissionären und Fischculturenthusiasten sind Seth Green und Genio C. Scott. Ersterer arbeitet von Mumford im Kreise Monroe des Staates

New-York aus schon seit mehr als zwanzig Jahren mit steigendem Erfolg für die Bevölkerung, wissenschaftliche Behandlung und Auserntung der Gewässer. Vor zwei Jahren versorgte er kurz hintereinander den einzigen Connecticutfluß mit wohl hundert Millionen von jungen shads, den beliebten Süßwasserheringen oder Alosen, welche auch in vielen deutschen Flüssen gedeihen würden. Der einzige Hudsonfluß lieferte allein binnen eines Jahres für eine Million Dollars solcher shads. Aus dem Lorenzostrome fischte man in einem Jahre 600,000 Dollars. Berühmt sind die Lachsforellen des Sees Abironback im Staate New-York. Man fischt sie bis vierzig Pfund schwer aus dem süßen Reichthume dieses flüssigen Erntefeldes. Große illustrirte Werke über die amerikanische Fischcultur von Scott und von Thaddeus Norris beweisen durch ihre prachtvolle Ausstattung und den Inhalt die Begeisterung für diese Cultur und deren lachende Erfolge. Wer jemals in einem deutschen Gebirgshotel für einen halben oder zwei Drittel Thaler ein paar zwei Finger lange Bachforellen als Schnapphäppchen kostete, wird zu würdigen wissen, daß die Amerikaner diesem köstlichsten aller Süßwasserfische weit und breit die größte Zärtlichkeit und künstliche Erziehung widmen. In Deutschland mit seinen vielen Gebirgsflüßchen und Quellwassern, die sich noch sehr leicht vermehren ließen, würde sich die Forellenzucht ebenfalls ganz vorzüglich lohnen: aber man ist bis jetzt meist noch bei Anfängen stehen geblieben und außerdem wenig fortgeschritten. Im Kleinen läßt sich diese Zucht mit wenig Mitteln und viel Erfolg und Freude betreiben. Man braucht dazu nur den Anfang eines Gebirgsflüßchens oder sonstiges quellfließendes Wasser, welches man, wohl gemerkt, auch aus vielen sumpfigen Stellen auf deutschem Boden gewinnen könnte, dazu einen Kasten, etwa vier Fuß lang und von der Breite des für diesen Zweck besonders verengten Quellwassers, einige grobe Schwämme, Flanell, groben Kies und Forelleneier. Der Kasten wird in das herabfließende Quellwasser befestigt, mit groben Kies bestreut, am oberen Ende erst mit einer Schicht groben Schwammes und dann nach innen zu mit zwei oder drei immer feiner werdenden Flanellstücken benagelt. Durch diese filtrirt sich das Wasser in den Kasten hinein und fließt immer lebendig und belebend über die auf den groben Kies gestreuten Forelleneier hinweg, auf der anderen gegen Eindringlinge geschützten Seite abwärts heraus. In der Nähe eines Flusses mit Forellen kann man sich die Eier selbst, freilich nicht sehr leicht, verschaffen und befruchten. Da man aber reife Paare dazu nur des Nachts unter Steinen oder Wurzeln hervorfangen kann, ist es gerathener, sich die befruchteten Eier aus einer besonderen Anstalt zu verschreiben. In dem erwähnten Kasten muß man sie täglich genau prüfen und die blinden, milchweißen sorgfältig mit einer Pincette entfernen. Im Uebrigen wartet man ruhig ab, bis die Eier lebendig werden und die zarten, unbeholfenen Keime in die anderweitig gegen Feinde geschützte Erziehungsanstalt entlassen werden können. Dies ist ein Wink für Privatvergnügen aus dem schöpferischen klaren Quell- wasser. Will man das Angenehme mit dem Nützlichen verbinden, muß man sich nach amerikanischen Mustern schon zu größeren Unternehmungen aufrassen und vereinigen. Der eigentliche Pionier dieser schönen Cultur in Amerika ist Stephen C. Ainsworth. Seit zehn Jahren dehnt er sich von West- Bloomfield im Staate New-York mit Befruchtung, Verkauf und Erziehung von Forelleneiern immer weiter aus. Er benutzt dazu oft ganz kleine, unscheinbare Quellflüßchen. Im Jahre 1866 brachte er von 21,000 Eiern 20,000 junge Forellen zum Leben, das Jahr darauf 25,000, die er bis auf 2000 mit großem Gewinn verkaufte. Seine jungen Zöglinge sind zahm wie Kätzchen und schlängeln sich eifrig durch das spiegelklare Wasser um die fütternde Hand. Hauptsächlich durch seine Bemühungen und Erfolge wimmelt es im Staate New-York allein lustig in mehr als hun- dert Forellenteichen. Dabei hat sich ergeben, daß jedes Quellflüßchen, das nur einen Zoll Wasser für je hundert Geviertzoll Raum stets fließend liefert, jährlich bis 600,000 Forelleneier ausbrüten kann. Da nun wegen der gesteigerten Nachfrage tausend befruchtete Eier oft mit hundert Dollars bezahlt wurden, schuf das kleine, vorher verachtete Flüßchen in einem einzigen Jahre eine Einnahme von 60,000 Dollars. Wenn das für den Glauben zu fabelhaft klingt, so begnüge man sich für deutsche Quellflüßchen mit fünfzig bis sechzig Procent weniger Erwartung und sie wird immer noch lockend und lohnend genug bleiben.

Demnächst zeichnen sich Seth Green's Forellenteiche und Bäche in Caledonien, Provinz Livingstone, durch Lage, Einrichtung und Erfolg aus. Er kaufte zunächst einen Mühlenbach eine englische Meile lang, vier Ruthen weit und zwei bis sechs Fuß tief für 2000 Dollars, hernach für 6000 Dollars Land und Wasser noch dazu und richtete Alles für Aus- brütung und Erziehung seiner Lieblinge ein. Die Anstalt brachte ihm 1866 tausend Dollars Profit, das Jahr darauf fünftausend und 1868 schon das Doppelte, nicht weniger als 10,000 Dollars Reingewinn. Zu- erst, 1865, brütete er 180,000 Forelleneier aus, im Jahre darauf 300,000, 1867 die doppelte Anzahl und das Jahr darauf etwa eine Million. Diese verkaufte er zum Theil, andere behielt er für eigene Zucht oder machte sie auch noch als ganz kleine Fischchen zu Gelde. Er verfügt über das klarste, immer frisch murmelnde Quellwasser in den verschiedenen Abtheilungen, worin die Fische bis zum klaren Grunde immer sichtbar durcheinander flitzen und die hineingestreuten Abfälle der Küche u. s. w. als Delicatessen selbst aus der Hand schnappen. Das Wasser hat nicht die wünschens- werthen Vorzüge einer ziemlich gleichmäßigen Frische und Kühle und schwankt zwischen 34 und 85 Grad Fahrenheit; aber dies scheint den Bewohnern nicht unbequem zu werden. Nur müssen sie im Sommer vor einer Temperatur darüber hinaus, also über zehn Grad R., durch schattige Umgebung, Baum= und Strauchwerk am Ufer, nöthigen Falles hinein= geworfenes Roheis, geschützt werden. Die Green'schen Forellenteiche sind ein krystallhelles kleines Spiegelbild der wunderbarsten Ertragsfähigkeit selbst kleiner Wasserflächen für diese Forellencultur.

Ein anderer berühmter Forellenzüchter, Dr. Slack in Bloomsbury, New=Jersey, 64 englische Meilen nordwestlich von der Stadt New=York, hat auf seinen zwei Morgen umfassenden Quellwassern, welche immer jede Minute tausend Gallonen Zufluß erhalten, die Erfahrung gemacht, daß die Bewirthschaftung solchen Wassers viel sicherer und höher lohne, als irgend eine Art von Ackerbau und Viehzucht. Das Wasser quillt das ganze Jahr hindurch mit einer gleichmäßigen Frische von 50 Grad Fah= renheit. Die einzelnen Abtheilungen oder Teiche haben meist Lehmboden, auf welchem große Steine zu Schlüpfen und Schluchten gefügt sind, so daß die Fische sich daran scheuern und hindurch drängen und damit von etwaigem Ungeziefer befreien können. Derartige Schlüpfen und Verstecke sollte man deshalb überall in solchen Anstalten anbringen. Doch müssen die Steine, so wie Kies für den Boden oder die Brutkästen vorher gehörig ausgekocht und gelangt werden, um alle Brutkeime von Parasiten u. s. w. zu zerstören.

Die neuen Anstalten für künstliche Fischzucht auf Long Island fertigen wir diesmal mit der Bemerkung ab, daß nicht weniger als 300,000 Dollars dafür ausgegeben wurden.

Noch einen Blick nach New=Hampshire, wenigstens in die drei Haupt= anstalten für Forellen= und Lachszucht. Die erste, kleinste und vielleicht fruchtbarste ist die der Herren Hoyt und Robinson bei Meredith. Hier stürzt sich ein ganz kleines Flüßchen rasch wie rasend aus malerischem Waldgebirge. Die Herren bemächtigten sich desselben und verschafften ihm zunächst etwas ruhigeren Tummelplatz in Form eines Teiches, der kaum größer ist als eine gewöhnliche Baustelle für ein Haus. Darin tummeln sich nun Tausende von ein= bis zweijährigen Forellen, die seit dem Berichte zu drei= und vierjährigen, also drei bis vier Pfund schweren Labungen für Gaumen und Magen geworden sind. Wie alle diese Anstalten ist auch diese mit einem Bruthaus versehen, worin wir die genialsten Einrichtungen zum Schutze der Eier und der Reinheit des immer fließenden Wassers bewundern können. Manche davon sind theuer und patentirt; da es aber hier überall auf Schutz der Eier vor parasitischen und mikroskopischen Feinden, auf tägliche Entfernung der todten und faulenden und auf immerwährenden frischen Fluß reinsten Quellwassers ankommt, werden wir

uns mit dieser Einsicht meist immer selbst die besten Mittel dazu aus=
zudenken und herzustellen wissen.

Beachtenswerthe Eigenthümlichkeit ist hier noch: Einrichtung zum
natürlichen Laichen und erst nachherige Uebersiedelung in das schützende
Bruthaus. Die Herren hatten bis zu Ende des Jahres 1868 Hundert=
tausende von Bach=, Seeforellen= und Lachseiern befruchtet, erzogen und
verkauft. Mit dem Ertrage legten sie neue Teiche an, so daß die Eier
vom Anfange bis zu Ende, nämlich zu drei=, vierpfündigen, kostbaren
Fischen, in den verschiedenen Abtheilungen erzogen, gefüttert und sett ge=
macht werden. Auch der kleine Anfang zu Nashua in einer aus mehreren
kleinen Bergflüßchen vereinigten Anstalt mit fünfhundert Forellen und
einem Bruthaus beweist durch seine rasche Vergrößerung und den glänzenden
Erfolg den Zauber dieser Kunstindustrie. Im November 1867 wurden
die fünfhundert Forellen eingesetzt und von deren Eiern schon im März
neunzig Procent als lebendige, vielversprechende Fischchen begrüßt. Das
Bruthaus wurde bald darauf für 100,000 Eier vergrößert, und neu an=
gelegte Teiche daneben sorgen für deren Zucht und Pflege. In Charlestown
hat der Prediger Livingston Stone außer für die Seelen auch mit vielem
Vergnügen und Erfolg für Forellen und Lachse zu sorgen. Er entwickelt
dabei viel Uneigennützigkeit und entläßt die künstlich zum Leben gebrachten
Fischchen, so bald sie stark genug sind, in freie Gewässer. Hierbei bemerken
wir noch, daß die Fischerei=Commissionäre Amerikas es gesetzlich allen
Pächtern und Eigenthümern an Fluß= oder Seeabtheilungen zur Pflicht
machen, je nach der Größe ihrer Abtheilungen bestimmte Mengen von
Fischeiern zur Vermehrung des allgemeinen Wasserreichthums zu befruchten
und in die Freiheit zu entlassen.

Mit welch' bequemen und einfachen Mitteln sich Forellen erziehen
lassen, bewies ein Privatmann in Pennsylvanien. Er brachte 1200 Stück
in einem großen Troge an und ließ immer Quellwasser hindurchfließen.
Sie gediehen in dieser engen Gefangenschaft vortrefflich und wurden von
Küchen= und Schlächtereiabfällen aller Art, die fast gar nichts kosteten, so
sett, daß sie nun eben so wohlfeil als köstlich schmecken.

Schon diese bloße Erwähnung der hauptsächlichsten Anstalten für
Forellenzucht beweist, daß die Amerikaner für die Einsicht und ihren Vor=
theil frisch und freudig Geld anzulegen und mit Hunderten von Procenten
zu verzinsen wissen. So etwas müssen wir in dem gelehrten Deutschland
für Unternehmungen zu Lande und noch mehr zu Wasser noch erst lernen.
Vielleicht ist der Staat Massachusetts dafür ein besonderes Muster. Er
hat in einem Jahre 30,000 Dollars zur Förderung der Fischzucht aus=
gegeben und neuerdings Preise von 2 und 300 Dollars für die voll=
kommensten Einrichtungen zur Zucht von Eß= und Edelfischen ausgeschrieben.

Das klingt anders als die erst zu erbittenden 100 Thaler für die besten Werkzeuge zur leichten und bereits blühenden Meereskartoffeln- oder Mießmuschelzucht in Deutschland.

Der amerikanische Fischcultur-Enthusiasmus bezieht sich, außer auf Salmoniden und Alosen, noch besonders auf die den Forellen im Geschmack sehr nahen und für die Erziehung viel müheloseren schwarzen Baffen. Dieser Black Bass (Mikropterus Achigan oder Grystes fasciatus der Ichthyologen) wird mit vielem Erfolge aus seinen Geburtsflüssen in andere neue übergesiedelt, wo er wegen rascher Vermehrung und leichter Zugänglichkeit mit Angel und Netz allen Umwohnern weit und breit bald vortrefflich zu Gute kommt. Zwei Angler halten sich während eines einzigen Tages aus dem Fluffe oberhalb Washington nicht weniger als 80 Pfund solcher Baffen heraus. Schon Sturz hat den Vortheil der Uebersiedelung und Einbürgerung derselben in deutsche Gewässer empfohlen. Wenn wir es hiermit ebenfalls thun und der deutsche Fischerverein etwas darauf und Geld dafür giebt, wird am Ende etwas daraus. Die ganze bisher erwähnte künstliche Fischzucht in Amerika eignet sich durchaus auch für Deutschland. Selbst die noch etwas wilde Austernzucht drüben ist wenigstens besser und deshalb auch empfehlenswerth für unsere Nordsee- austern. Man scheut dafür die rationellere Zucht Frankreichs und Eng- lands und könnte deshalb wenigstens die amerikanische naivere und billigere nachahmen, statt die natürlichen Austerngründe im Umfange von drei Geviertmeilen theils im Ueberfluffe, in Monopolen und Privilegien er- sticken, theils schonungslos ausplündern und erschöpfen zu lassen.

Der Sache wegen muß ich hier wieder sagen, daß meine Bewirth- schaftung des Wassers besonders ausführliche und gerühmte Schilderungen des Austernverkehrs und -Verzehrs enthält, namentlich auch des ameri- kanischen, mit der Ostreopolis Baltimore, wo ein einziges Haufes immer- während über tausend Hände beschäftigt, welche täglich allein 20,000 mit Austern gefüllte Blechkannen für den Handel liefern. Baltimore ist die Austernhauptstadt für Georgien und die Chesapeake-Bucht, welche sich mit unzähligen Nahrungsstoff liefernden Flüssen in 3000 englische Geviert- meilen umfassende natürliche Austerngründe auf nahrhaftem Schlamm, Sand und Felsen ausweitet und in zwei ungleiche Hälften zerfällt. Aus der kleineren allein erntet man jährlich über zehn und aus beiden zu- sammen bis 25 Millionen Scheffel Austern, wobei unzählige Privat- besitzungen und die von Räubern gesammelten Ernten nicht mit in Rechnung kommen. Die meisten davon werden von fünfundsiebzig großen Geschäften in Baltimore vertrieben und in allen möglichen Zubereitungen für den amerikanischen und Weltmarkt zu Wasser und zu Lande versandt. Hier thut die Natur das Meiste und die Cultur beschränkt sich fast nur darauf, von den ungeheuren natürlichen Betten (mit den besten in Tangiers-Sund) die im salzigeren Wasser mager bleibenden Austern in das süßere, fruchtbarere, mehr brakige Wasser der Chesapeake-Bucht zu säen, wo sie bald setter und schmackhafter werden. Die besten dieser natürlichen Betten oder Pflanzgründe sind durchschnittlich für 400 Dollars per Morgen verpachtet. Auch wendet man die von Professor Coste erfundene Maschine zur Auffangung und Uebersiedelung des Austernlaichs an. Ich habe noch keine rechte Vorstellung davon und weiß nur, daß sie in einem kastenartigen Apparate mit verschiedenen Vorrichtungen zur Auffangung des Laichs besteht und über den Austerngründen ins Meer versenkt wird. Nach einer bestimmten Zeit macht man sie flott und zieht sie in künstliche Ansiedelungen. Unsere Austerngründe haben bei aller Verschiedenheit zu unserem Nachtheil doch manche Gleichartigkeit mit den fruchtbarsten und berühmtesten Austern der Chesapeake-Bucht. Unsere Nordseeküsten und Inseln werden in einem furchtbaren unaufhörlichen Kriege neptunischer Gewalten gegen die Gestade langsam aber sicher unterliegen, wenn wir dem gefräßigen Meeresgotte außer Düppelschanzen von Dünen nicht Armeen von Austernbänken entgegensetzen. In Georgien und besonders dieser Chesapeake-Bucht sind es wesentlich unzählige Millionen von diesen gepanzerten Weichthieren der Tiefe, welche die Gestade und deren Bewohner vor dem Unglück schirmen, gegen welches die schleswigholsteinschen Westküsten und die friesischen Inseln sich bis jetzt nur ohnmächtig durch Haffteiche zu schützen suchen. Hier wie dort besteht der Boden bis weit landeinwärts aus schwammigem Anschwemmungsschlamm, der außerordentlich fruchtbar ist, aber dem Angriffe heftiger Sturmfluthen nur weichenden und weichlichen Widerstand entgegensetzen kann. Das amerikanische Marschland ist noch drei bis vier Meilen ins Meer hinaus so nachgiebig, daß man leicht eiserne Stäbe zehn bis zwölf Fuß tief hineinschieben kann. Dazu spülen zahlreiche, vielgewundene Bäche und Flüsse die Uferränder immer weiter ab, so daß sich die ganze Gegend längst in unabsehbare Moräste verwandelt haben würde, wenn die Austern nicht siegreich dagegen kämpften. Diese haben sich nämlich seit Jahrtausenden als unüberwindliche Wasserbrecher, als uneinnehmbare Festungen zwischen Meer und Land gelagert und auch die Fluß- und Bachmündungen weit landeinwärts mit Mauern von zwölf bis fünfzehn Fuß Höhe umgeben. Die unteren Schichten dieser Schutzwälle sind natürlich ohne Leben und dienen nur den oberen lebendigen und sich immer wieder verjüngenden Schichten als Ankergrund. Dabei reißt die Fluth sehr oft große Massen ab, welche dann mit eintretender Ebbe zwischen Gras und Gesträpp hängen bleiben. Dann verschaffen sich die schlauen Schwarzen gern auf die wohlfeilste Weise Lucullusmahle von gebratenen Austern. Sie stecken einfach

das Gesträpp in Brand und die dazwischen gerösteten Austern in das
weite Maul.

Es giebt zugleich nach englischem und französischem Muster verschiedene Vorbilder für künstliche Austernzucht an unseren jetzt deutsch
gewordenen Küsten; man wird aber auch das hier angedeutete aus Amerika
zu beachten und nach Möglichkeit anzuwenden suchen. Das Wie überlasse
ich näherer Prüfung und Sachkenntniß und bemerke nur noch, daß die
schleswig-holsteinschen natürlichen Austernbetten an vernachläßigten oder ganz
unbeachteten Stellen ebenfalls auf einem mehr oder weniger tiefen Grunde
von todten, erstickten und überschwemmten Austern weiter aufwachsen und
sich jedenfalls daraus solche Schutzmauern gegen neptunische Gewalten und
neue Nahrungs- und Labemittel für Deutschland erbauen lassen.

Die Auster darf kein bloßes gutschmeckeriges Reizmittel bleiben,
sondern muß durch Cultur und Kunst auch an unseren norddeutschen
Gestaden und Flußmündungen bis zur Nahrung, Erquickung, geistigen und
körperlichen Kräftigung für das Volk vermehrt und verbilligt werden. Die
nach amerikanischer Gewähr nicht zwitterhafte, sondern geschlechtlich ge-
schiedene Auster ist bekanntlich für Kranke, die sonst fast gar nichts mehr
genießen können, oft noch die einzige Labung und Nahrung und ward schon
nicht selten zur wirklichen Lebensrettung. Bei den jetzt häufigen Krankheiten aus Eisen-, Blut- und Geistesarmuth werden die ungemein leicht
verdaulich gemachten zauberischen Nahrungs- und Heilsäfte der Auster aus
phosphorsaurem Eisen, phosphorsaurem Kalk, sehr viel Bouillonsuppen-
aroma (Osmazome) und etwas Kleber mit ziemlich viel Salz gradezu zur
wohlfeilsten und schmackhaftesten Apotheke gegen diese Krankheiten. Im
Scherz und Ernste habe ich in meiner „Bewirthschaftung des Wassers"
eine Menge Thatsachen aus alter und neuer Zeit gehäuft, um auch die
Geistesnahrung und höhere Culturkraft aus der Auster zu beweisen. Nur
füge ich noch hinzu, daß sie immer möglichst frisch genossen werden muß,
da sie außerhalb des Wassers ziemlich schnell abstirbt und dann leicht
schädlich, sogar giftig wird. Bei dem jetzt sich bildenden raschen Vertrieb
der Eruten aus dem Wasser mit Dampf über das Land hin läßt sich
erwarten, daß auch die Auster theils ganz frisch in Seewasser oder Eis,
oder amerikanisch eingemacht nicht nur den Gutschmeckern, sondern auch
der viel größeren Menge von Blut-, Eisen- und Geistesarmen, Schwindsüchtigen und Verdauungsleidenden heilend, erquickend und lebensverlängernd
zu Gute kommen werde.

Boerhaave erzählt von einem Schwindsüchtigen, daß er, von Aerzten
aufgegeben, sich durch Austern geheilt und bis zum dreiundneunzigsten Jahre
vor dem Tode gerettet habe. Dr. Pasquier kennt kein besseres Mittel
gegen Gicht als diese neptunischen Sahnentorten, und Dr. Leroy vertrieb

sich bis in sein höchstes Alter jeden Feind der Gesundheit und jugendlichen Manneskraft durch ein tägliches Frühstück von zwei Dutzend dieser heilkräftigen Mollusken. Natürlich genoß er sie blos immer während der Saison. Außerhalb derselben werden sie eben so schädlich wie abgestandene. Dies gilt übrigens für jede Nahrung, besonders die aus dem Wasser, so daß sich schon aus Gesundheitsrücksichten die Schonungszeiten für alle Arten von Fischen verstehen würden.

Rath und That aus Oesterreich.

Militärische Triumphe auf dem Schlachtfelde werden immer zu Pyrrhussiegen, wenn sie zur Stärkung von Staatsoberhäuptern, Vermehrung der Truppen und Steuern und zur Vernachlässigung, sogar Unterdrückung geistiger und volkswirthschaftlicher Bestrebungen mißbraucht werden, wogegen verlorene Schlachten nicht selten auf siegreiche Wege zur Erweckung und Stärkung der Volkskraft und des geistigen Lebens führen. Oesterreich betrat solche Wege nach dem siebentägigen Kriege und ist auf diesen nur wegen Verbeustung und innerer Hindernisse noch nicht recht vorwärts gekommen. Nichts destoweniger sind die eingeschlagenen Richtungen schon ein Wohlthat. Der Staat begünstigte vielfach volkswirthschaftliche Regungen, und das Haus der Abgeordneten nahm sich derselben durch ein besonderes Comité an. Ein großes Werk über die Cultur und Industrie unserer Gegenwart auf Grund der Pariser Weltausstellung wurde von den Sachverständigsten des Landes auf Kosten des Staates ausgearbeitet und für das arbeitende Volk veröffentlicht. Auch für die sehr vernachlässigte Bewirthschaftung des Wassers wurde auf Staatskosten Mancherlei angeregt und unternommen. Er ließ unter Anderem die Austerncultur Frankreichs durch Prof. Schmarda und Ritter v. Ergo untersuchen und verschiedene ähnliche Anstalten begründen oder erweitern. Letzterer giebt darüber in seinen Notizen über Austerncultur nähere Nachricht. Er schildert zuerst den ärarischen Austernproductionspark bei Grado, der nach seinen Angaben im Frühjahr 1867 mit neuen Arten von Laichauffangungsziegeln und einer Aussaat von Mutteraustern versorgt ward. Es zeigte sich bald ein günstiger Erfolg und die begründete Hoffnung, daß sich auch an den Küsten des adriatischen Meeres diese kostbare Molluske bis zur Massenhaftigkeit und Wohlfeilheit vermehren lasse. Die Art und Aufstellung seiner Ziegel sei hiermit der Beachtung empfohlen. Ebenso verdient die Austernzuchtanstalt auf der Barene Campagnola, unweit davon nach den Angaben des Herrn v. Ergo auf Kosten des Marine-Ministeriums ausgeführt, Berücksichtigung für etwaige Unternehmungen an unseren Nordseeküsten. Man sucht hier Austern nicht nur zu veredeln, sondern auch nach dem Muster in Régneville und der Hahling-Insel in geschlossenen Räumen künstlich zu vermehren. Dabei ist die Anstalt so angelegt, daß sie sich ebenfalls im freien Wasser außerhalb züchten und veredeln lassen. So weit wie meine Nachrichten reichen, hat der Erfolg die Sicherheit des Gelingens schon bewiesen. Dabei arbeitet man immer noch daran, andere Methoden praktisch zu prüfen, um endlich die besten zu behalten. Dies ist auch richtig und allein praktisch: diese Kunstindustrie ist ja überall noch jung und muß fleißig in die Schule der Prüfung und Erfahrung und selbst des Schadens gehen, während wir in Norddeutschland vielfach unseren Ruhm darin suchen, kritisch zu mäkeln und der Frische des Entschlusses des Gedankens Blässe anzukränkeln. Die dritte österreichische Anstalt ist die 1867 auf der Barene Ravajarina angelegten Canalisation für künstliche Austerncultur. Sie besteht aus zwei, je fünfhundert Klaftern langen, drei Fuß tiefen und sich oben zu zehn Fuß Breite ausweitenden Canälen mit regulirtem Ab- und Zufluß des Meerwassers, also in einer verhältnißmäßig nach neuen Methode, deren Entwicklung der deutsche Fischereiverein beobachten lassen mag. Auch ist dabei die Rede von Fischen, welche in diesen Parks mit Vortheil gezogen und gezüchtet werden können. Nach Dr. Kemmerer's Urtheil gehören sogar Muscheln, Austern und verschiedene Arten von Fischen für gegenseitigen Vortheil zusammen: sie ernähren, reinigen und unterstützen sich gegenseitig. Namentlich bilden insofern Mollusken die vortheilhaftesten Reinigungselemente von Fischteichen, als sie die Ausscheidungen der Fische verzehren. Also im Kleinen ein recht wirthschaftlicher Kreislauf der Natur. Herr v. Ergo macht auf Grund französischer Gewähr noch darauf aufmerksam, daß sich Austern auch ohne Nachtheil während der Monate ohne R genießen lassen, da im Durchschnitt nur zwanzig Procent während dieser Zeit laichen, mager und für den Genuß schädlich werden. Die übrigen achtzig Procent bleiben also genießbar; doch käme es dabei immer darauf an, diese richtig herauszufinden.

Daß schon die alten Römer künstliche Austerncultur trieben, ist wohl nun bekannt genug, und vielleicht ist es interessant, hier noch zu erwähnen, daß an mehreren Orten der österreichischen Küste ebenfalls seit undenklichen Zeiten eine Art von künstlicher Austerncultur betrieben wird. Man versenkt einfach Baumäste, besonders eichene, in schlammigen Boden und fischt sie nach drei Jahren mit marktfähigen Austern befrachtet und befruchtet wieder heraus. In dem Bistrinathale des Kreises Ragusa wirft man die Aeste etwas beschwert einfach auf den Boden der Bucht und pflückt die daran haftenden Früchte ebenfalls immer im dritten Jahre ab. Man sieht daraus, daß man auch auf diesem alten naiven Holzwege schon auf einen grünen, sogar befruchteten Zweig kommen kann, und dies ist immer noch besser, als wenn man es vorzieht, gar nichts zu thun und dazu die Steuern zu erhöhen.

Die natürlichen Austernbänke im adriatischen Meere, über eine Meile lang, sind als öffentliche oder Privatbesitzungen sehr vernachlässigt worden. Dagegen betreibt man den Tun- und anderen Fischfang zwischen den gleichsam im Wasser schwimmenden malerischen Gebirgen des istro-dalmatischen Archipels mit 439 größeren und unzähligen kleineren Häfen, Becken und Buchten zwei bis sechs Meilen breit und fünfundfunfzig lang, wenn nicht in sehr wirthschaftlicher, doch sehr malerischer Weise. Ungeheure Doppelsteigbäume mit Sitz oben ragen schräg vom felsigen Ufer und Berge über das klare, durchsichtige Meere hinaus, in welchem die Wächter oben die Bewegungen und Züge der Bewohner weit und breit und tief hinab bewachen. Ringsum lauern die Netze. Sobald sich nun ein tummelnder Zug von Innen zwischen die Netze und Einbuchtungen drängt, werden erstere geschlossen und landwärts gezogen, um die farben- und formenreichsten Gebilde des Wassers daraus zu ernten. Da giebt es neben den stahlblau beharnischten Innen und Palamiden, Fischen des Felsengrundes, Seespinnen und Jakobsmuscheln noch stachliche Seeigel, rutschige Holothurien, nesselnde Aktinien, stinkende Spongien, zierliche, eßbare Kettentange, feine Makrelen, wüthendschlagende Seeaale, goldköpfige Draden, goldstreifige Salpe, metallviolette Dentali, zinnweiße Bronzini und sonstige in Zeichnung und Farbenzauber anziehende Gäste des mittelländischen Meeres, wie wir im Frühlinge im Berliner Aquarium dicht vor unseren Augen zu bewundern Gelegenheit fanden.

Sonst sind noch die Salzgärten eine merkwürdige Eigenthümlichkeit der adriatischen Meeresküste. Man läßt das Wasser über flache Stellen hinwegfluthen. Nach dessen Rücktritt trocknet der Landwind das Wasser vollends aus und läßt eine Salzkruste zurück, welche nun abgeschabt und für Düngungs- und Futterzwecke verwendet und verschifft wird.

In der Bewirthschaftung der süßen Gewässer ist Oesterreich wohl noch eben so nachlässig wie die Bewohner der übrigen deutschen Länder. Einige neue Privatunternehmungen finden in der Schluß-Uebersicht ihre Stelle.

Die Volks-Auster oder Mießmuschel.

Außer den „neptunischen Sahnentorten", Austern, wachsen auch so zu sagen Kartoffeln und Heringe in einer Person, „Mytilus- oder Mießmuscheln" auf dem Meeresgrunde. Da man für die künstliche Austerncultur in Deutschland trotz begeisterter Anregungen noch nicht wie in Frankreich, England und Amerika Geist und Geld aufzubringen vermag, will sich der deutsche Fischerei-Verein unter dem Vorsitze des preußischen Kronprinzen, des Grafen Münster und Herrn v. Bunsen und mit Vorstehern wie dem Baron Erxleben, Professor Virchow, Regierungsrath Marcard u. s. w. besonders dieser Muschelcultur annehmen, wahrscheinlich zunächst deshalb, weil der Jahdebusen, die Kieler Bucht und die schleswig-holsteinischen Küsten, trotz der drei Geviertmeilen umfassenden natürlichen Austernbänke und der damit einladenden künstlichen Pflege, für diese Muschelcultur besonders verschwenderisches Talent verrathen. Entdeckt wurde letztere erst 1856 von dem schleswigschen Fischerei-Director B. F. G. Heins. Als dieser damals behauptete, daß sich diese eßbare Muschel an künstlich eingebrachte Pfähle und sonstige Haltepunkte ansetze und sich dadurch künstlich vermehren lasse, schüttelten auch alte, sachverständige Fischer ihre Köpfe und wollten es nicht glauben. Erst als ihnen Heins an einem einzigen herausgezogenen alten Pfahle nicht weniger als 10½ Schipps (ein Schipp gleich ⅛tel Tonne) dieser Ansiedler zeigte, machten sie lange Gesichter und große Augen. Trotzdem mußte Heins diese künstliche Muschelzucht erst in mehreren kleinen Volksschriften und durch vielfache praktische Muster handgreiflich lehren und nach allen Seiten selbst mit Hand anlegen, um die Leute für diese Saaten und Eruten aus dem Wasser zu gewinnen. Jetzt endlich kann er sich glänzender Siege rühmen und in allen Buchten und Fjörden der schleswig-holsteinischen Küsten tüchtige Muschelzüchter finden, welche ihm für ihren erhöhten Wohlstand dankbar die Hand drücken.

In Frankreich ist diese Muschelzucht über unabsehbare Farms hin ein Jahrhunderte altes, blühendes Gewerbe, welches wir in der „Bewirthschaftung des Wassers" ausführlich und anschaulich geschildert finden. Diese Muscheln liefern nicht nur einen werthvollen, wohlfeilen Köder für die Fischerei, sondern auch eine willkommene Nahrung, sogar Leckerbissen für die Menschen.

Nach den Heins'schen Vorschriften wird die künstliche Muschelzucht in folgender Weise betrieben. Die starkbärtige Molluske befestigt sich in der Nähe der Küsten immer gern an alle vom Meeresgrunde auf etwas hervorragenden Gegenstände, Steine, Bollwerke, Pfähle, kurz Alles, was unterhalb der Oberfläche ihnen irgendwie haltbaren Ankergrund bietet. Die Erfahrung hat gelehrt, daß sie versenkten grünen, geschälten Pfählen oder Aesten von Buchenholz gern den Vorzug geben. So fängt denn die künstliche Muschelzucht auch gewöhnlich damit an, daß man im Herbst solche Pfähle oder Aeste, am liebsten in brakigen oder schwachsalzigen Gegenden der Küste, zwei, drei Ellen von einander einrammt oder starkästige Theile von Buchen an Steinen befestigt und einsenkt. An solche siedelt sich nun der Muschellaich an und wird binnen vier Jahren, wie die Austern, reif zu einer fetten Ernte. Diese fällt immer in eine Zeit, wo die Natur über dem Wasser hermetisch durch Schnee und Eis verschlossen ist. Im December oder Januar sind die Muscheln am fettesten, so daß dann die Pfähle oder Aeste herausgefischt und abgepflückt werden. Unausgewachsene Muscheln wirft man entweder einfach wieder ins Wasser oder verpflanzt sie, in nasses Seegras gepackt, an noch nicht bewirthschaftete Stellen. Die reifen Exemplare werden auf verschiedene Weise zur Nahrung und Labung für Menschen zubereitet. Das Beste und Billigste ist natürlich, sie frisch zu genießen. Ausgenommen, gereinigt und zu einer Art von Suppe gekocht, bilden sie mit und ohne Gewürz eine sehr substantielle und mundende Nahrung, allerdings mehr für gute Magen als für civilisationsgeschwächte Verdauungswerkzeuge. Aber gehörig zubereitet und von den schwer ver= daulichen Anhängseln befreit, werden sie jedenfalls ebenso empfehlenswerthes als leicht verdauliches Labsal für die Schwachen, wie die aristokratischen Schwestern, die Austern. Die Mießmuschel hat, wie einmal ein Fleischer als Tadel für Kälber und Kühe aussprach, zu viel „Gewänste“. Es fühlt sich auf der Zunge beinahe bindfadenartig an und wird wohl am besten ent= weder vorher oder wenigstens beim Essen, wie die Knochen beim Fleische, beseitigt, um dem Magen schwere und dabei unnütze Arbeit zu ersparen. Die Hauptsache ist das Fleisch und dessen wohlthätiger neptunischer Geist, der wahrscheinlich, wie der in den Austern, auch unserem Gehirn wesentlich zu Gute kommt.

Die Mießmuschel wird erst eingemacht weit und breit zum wahren wohlthätigen Handels= und Nahrungsartikel. Sie hält sich dann Jahre lang und ist für die Speisekammer zu Lande und noch mehr zu Wasser eine sichere Zuflucht und Zuspeise vielleicht noch mehr wie die „Pickles“ ein Reizmittel. Einmachung und Verkauf von Mießmuscheln wird daher ein während der letzten Jahre immer blühender und lohnender werdendes Geschäft. Sie werden geerntet, gereinigt, in emaillirten Töpfen mit nur wenig Wasser unten leise angekocht, nachher ihres unanständigen Bartes beraubt, in lange Gläser mit etwas starkem Weinessig, mit schwarzen und weißen Pfefferkörnern und geschnittenen Lorbeerblättern eingeschichtet. So stehen sie einige Stunden, worauf man wieder Weinessig aufgießt und das Ganze mit einer dünnen Schicht von Provenceröl verschließt. Als letzten Verschluß bindet man eine erweichte, sorgfältig eingetrocknete und dann in reinen Spiritus getauchte starke Blase fest darüber. Solche Büchsen bilden von Schleswig-Holstein, besonders aber aus dem großen Geschäft der Madame Lohse in Kopenhagen aus, einen sehr beliebten Handelsartikel, den man gelegentlich auch schon bei Berliner Delicatessenhändlern findet und vorigen Winter sogar der Königin von Preußen in einer Berliner Volksküche zu kosten gab. Es ist deshalb gut, wenn sich diese künstliche

Muschelzucht noch viel weiter entwickelt und die Delikatesse zu einer wohlfeilen, beliebten Zwischenspeise an den Tafeln der mittleren und ärmeren
Stände wird. An Stoff und Fruchtbarkeit des Meeres dafür fehlt es
durchaus nicht. Im Winter von 1866 zu 67 wurden aus dem einzigen
Isefjord für nicht weniger als 5,600 Grote's Miesmuscheln geerntet. Seit-
dem hat die künstliche Zucht bedeutend zugenommen, und aus dem Kieler
Hafen könnte man allein einen großen Theil der Geldmassen, welche hier
für maritime Zwecke zu Wasser geworden sind, in Form von solchen
Muscheln oder dick über einander liegenden Aalen wieder herausfischen.
Auch kleinere, sonst werthlose Muscheln der Nordsee lassen sich in Kalk-
brennereien, wenigstens mittelbar in Form von Dungstoffen, wieder zur
Vermehrung unserer Nahrungsmittel verwerthen.

Nach englischem Muster könnte man auch Kamm- und Herzmuscheln,
Seeschnecken, Seegarneelen und sonstige, bei uns unbekannte oder verachtete
Delikatessen des Meeres züchten und ernten lernen. Die Kammmuscheln
werden als periwinkles oder bloß winkles auf den Londoner Straßen
ausgeschrieen und täglich millionenweise verschlungen. Das delikate, nussige
Fleisch der Herzmuscheln (Cockles) holen die Leute mit Stecknadeln aus
den Gehäusen. Ohne Schrimps (Seegarneelen) trinkt der Engländer nur
ausnahmsweise, und dann nur mit Wasserkresse, seinen Nachmittagsthee.
Lauter Nahrungsmittel und Gaumenfreuden der großen, selbst ärmlichsten
Massen, welche sich bei uns der reiche Gutschmecker nur ausnahmsweise
von einem Delicatessenhändler verschaffen kann. Schrimps kommen neben
den Miesmuscheln schon ziemlich massenhaft im Kieler Hafen und meilen-
weiter Nachbarschaft vor.

Bis jetzt cultivirt man in der Kieler Bucht hauptsächlich Miesmuscheln
und brachte schon in einem Jahre über 800 Tonnen oder gegen 3½ Millionen Stück allein auf den Markt. Man pflückt sie von Hafenpfählen,
Brettern, Badeschiffen, Booten und Landungsbrücken ab, wo sie oft wie
ein dichter Rasen aus dem durchsichtigen Wasser hervorschimmern. Dazu
kommen die künstlich eingesenkten Eichen-, Buchen- und besonders Erlen-
pfähle oder Aeste. Man setzt diese, zugespitzt mit der eingeschnittenen
Jahreszahl zwei, drei Faden tief vermittelst eines Tanes und einer Gabel
am liebsten mit lebenden oder todten Seegras und zieht sie nach drei bis
fünf Jahren am häufigsten unter dem Eise hervor, und die meist dick neben
und übereinander hängenden reisen Früchte abzupflücken. Solche Muschel-
baumpflanzungen ziehen sich an beiden Seiten der Bucht an den Ufern
von Düsternbrook und Ellerbeck wie unterseeische Gärten hin, die man bei
ruhiger See unter dem klaren Wasser deutlich bemerken kann. Die Fischer
haben für diese Gärtner- und Erntekunst noch sehr einfache, uralte Ge-
wohnheiten. Vom Ufer aus erkennen sie an Merkmalen den Staub ihrer

Muſchelpfähle. In ihren flachen Kähnen mit ſteilen Seitenwänden rudern ſie ſich mit ſpatenartigen Schaufeln an Ort und Stelle, treiben eine Stange in den Grund, binden den Kahn daran feſt und angeln mit einem Haken an einem Tau den Muſchelbaum empor, deſſen oft ſchwer beladene Zweige ſie in Büſcheln und Klumpen von großen Muſcheln abreißen. Wie bei andern Ernten kommen auch hier gute und ſchlechte Jahre vor: die Muſcheln ſind nicht nur in Bezug auf Menge, ſondern auch in Fleiſch und Geſchmack oft ſehr verſchieden. Doch vor gänzlichen Mißernten iſt man bis jetzt verſchont geblieben. Da ſich nun dieſe Zucht ganz vorzüglich für die Küſten und Buchten der Nordſee eignet und auch mit Vortheil auf alle nordeuropäiſchen Meeresküſten, auch die der Oſtſee, ausdehnen läßt, haben wir allerdings für Gewinnung dieſer Lebens= und Labemittel ein ſehr weites, noch urbar zu machendes Feld. Nur muß man bedenken, daß dieſe Muſcheln neben den Auſtern und Seefiſchen ſtets einen untergeord= neten Rang einnehmen werden.

Vielleicht läßt ſich die Mießmuſchel (**Mytilus edulis**) ſelbſt veredeln, wie dies aus dem bedeutenden Unterſchiede derſelben je nach Lage und Nahrung ſich ſchon ſchließen läßt. Vor allen Dingen muß man das ſonder= bare Geſchöpf genauer kennen und von anderen ähnlichen Arten unterſcheiden lernen. Das äußerliche Unterſcheidungszeichen iſt die beſondere Spitze der beinahe dreieckigen, gleichſchaligen äußeren Hülle. Das Geſchöpf ſelbſt iſt charakteriſtiſch durch einen fingerartigen Fuß und den eigenthümlichen Byſſus oder Bart, womit es ſich an ſeinen Grund und Boden ſo feſt „ſpinnt", daß es von der größten Wuth der Ebbe und Fluth nicht abgeriſſen werden kann.

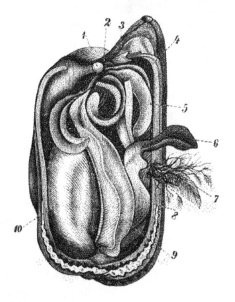

Unſere Abbildung zeigt das ſonderbare Geſchöpf, halb entſchalt, mit der Geſtaltung ſeiner einzelnen Theile, wie folgt: 1 und 3) Muskeln für Bewegung des Fuſſes, 2) Mund, 4) Mantelrand, 5) Lippen oder Fang= Muskeln, 6) der Fuß mit Hand= Organ zum Anſpinnen und Abreißen der Bart= oder Byſſusfäden und dann der Fortbewegung durch An= ziehen derſelben, 7) Bart oder Byſ= ſus, 8) inneres, 9) äußeres Kiemen= Blatt, 10) Körper mit Eingeweiden (das eigentliche „Fleiſch").

Das Simſonhaar des Bartes benutzt man unter Anderem gegen die

Macht der Fluth zu Bideford in Devonshire. Dort führt eine vierundzwanzig Bogen lange Brücke über den Fluß Towridge bei seiner Einmündung in den Taw. Die Gezeiten sind hier ſo reißend, daß kein Mörtel an den Brückenbogen hält. Man hat also statt des Mörtels Mießmuſcheln angeſiedelt, welche ſich und die Brücke vortrefflich zu ſchüßen und zu erhalten wiſſen. Es darf nun auch ohne hohe obrigkeitliche Bewilligung Niemand einen ſolchen ſubmarinen Schußmann abreißen. Vielleicht liegt darin ein Wink für ähnliche anderweitige Benußung der Mießmuſchel. Für den Markt und Magen gedeiht ſie überall in der Nordſee, und ſelbſt in der Oſtſee, wo man ſie hier und da häufig findet, wird ihr in der Nähe der Flüſſe der Mangel an Fluth und Ebbe und Salzgehalt nicht gefährlich. Für künſtliche Anſiedelung und Zucht ſind jedoch ſtarke Ebbe und Fluth und Nähe der Flußmündungen beſonders zu empfehlen. Sie verträgt den Mangel an Waſſer während der Ebbe ſehr gut, doch gedeiht ſie wahrſcheinlich am beſten in einer nicht zu großen Tiefe unter nie fehlendem Waſſer. An vielen Stellen der zackigen und buchtigen Küſte Norwegens ſieht man während der Ebbe oft ein bis zwei Fuß breites ſchwarzes Band von dicht neben- und übereinander feſtgeſponnenen Mießmuſcheln, welches dann um ſo ſchwärzer erſcheint, wenn dicht über demſelben die ebenſo dichten Gürtel von Anſiedelungen weißlicher Balanen hervorſchimmern.

Alle Geſchöpfe im Waſſer ſind während der Laichzeit für den Genuß untauglich, ſchädlich bis giftig. Leßteres gilt beſonders von der Mießmuſchel. Sie darf nur im Winter gefangen, friſch genoſſen oder eingemacht werden, und zwar immer möglichſt ohne Zeitverluſt. An abgelagerten oder während der warmen Jahreszeit geernteten Mießmuſcheln ſind ſchon oft Menſchen geſtorben.

Die auch in Deutſchland verwilderte Perlmuſchelzucht könnte gelegentlich wieder wirthſchaftlich gepflegt werden. Das Hauptgeheimniß dafür beſteht darin, daß man ihnen nach jeder Ernte ſechs, ſieben Jahre vollſtändig Ruhe laſſe.

Endlich noch eine Preisaufgabe, die wir dem Fiſchereiverein empfehlen: „Wie läßt ſich die molluskiſch gepanzerte Waſſerpeſt, die Wandermuſchel (Dreyssena oder Mytilus polymorphus), welche ſich während eines Jahrzehnts aus Südrußland vielgeſtaltig wunderbar in alle europäiſchen Süßgewäſſer mehr oder weniger maſſenhaft eingedrängt hat, mittelbar oder unmittbar für den Menſchen verwerthen?"

Es iſt ein Unglück, daß Prof. Möbius im Auftrage des Miniſteriums ſachverſtändige Wiſſenſchaft in ſeiner Broſchüre: „Ueber Auſtern- und Mießmuſchelzucht" auf Entmuthigung gegen erſtere und zu zärtliche Begeiſterung für leßtere beſchränkte. Auſtern, ſagt er, leben ſchon von Natur, wo die Bedingungen für ihr Gedeihen von der Natur gegeben ſind, und giebt kaum zu, daß sich diese Bedingungen künstlich ergänzen lassen, obgleich die Landwirthschaft, Gartenbaukunst und künstliche Fischzucht selbst, besonders die von ihm aufs Genaueste formulirte Mießmuschel-Cultur das Gegentheil beweisen. Nach französischen Erfahrungen bleibt ihm für die Nordsee nichts Anderes übrig, als Verpflanzung von Austern aus der freien See auf natürliche Bänke, wie bei Wangeroog, und Reinigung derselben für neue Einsaat, wie es bereits bei Schleswig geschehen soll. Das scheint mir zu viel Rücksicht für die Privilegien der Flensburger Gesellschaft zu enthalten, unwürdig der Wissenschaft und Wirthschaft, zumal da zugleich Mittel und Pläne des deutschen Fischerei-Vereins auf die schon von Natur sehr ergiebige und sehr leichte „maritime Kartoffelzucht" abgelenkt werden.

Die etwa 40 Austern-Bänke um Amrum, Sylt und Föhr an den Abhängen der tieferen Rinnthäler des Wattenmeeres fordern schon, ohne Benutzung französischer, englischer und amerikanischer Zucht-Methoden, zu einer freieren, rationelleren und großartigeren Bewirthschaftung auf, als Professor Möbius sachverständigst, aber auch rücksichtsvollst angeben will. Wenigstens beruhige man sich nicht mit dem Urtheil dieses einzigen Gewährsmannes und fahre und forsche weiter fort. Austern-Zucht bleibe eins der edelsten Ziele der Wasserwirthschaft.

Der deutsche Fischerei-Verein und die Hydronomie.

Ohne befriedigende Ernährung der Massen und ohne Freiheit von drückenden Nahrungs- und Abgabesorgen werden wir kein cultivirtes, freies Volk. Wir füttern es und uns selber im Vergleich zur körperlichen Nahrung viel zu sehr mit politischem und belletristischem Druckpapier. Namentlich liefert letzteres gern allerhand feinere Leckerbissen aus allen möglichen Winkeln der Kunst, Wissenschaft und Literatur, aber diese selbst nicht. Dies ist schon an sich ungesund, und da die Leser und Leserinnen dabei nicht selten zu viel oder zu wenig essen und trinken, in ungesunder Luft athmen und wohnen und viel Maculatur gesellschaftlicher Unterhaltung selber sprechen oder anhören müssen, fehlt es außer gesunder körperlicher auch an heilsam geistiger Nahrung. „Der Mensch ist, was er ißt", gilt zwar nicht in dem groben Umfange unserer Materialisten von Profession, aber Thatsache und historische Erfahrung ist es, daß schlecht genährte Völker auch geistig nicht viel taugen und leisten. Ich habe deshalb seit Jahren in allen möglichen Formen für Erweiterung und Bereicherung materieller Lebensbefriedigungsmittel als der natürlichen Grundlage der Cultur zu

3*

kämpfen gesucht und in der Bewirthschaftung des Wassers eine unerschöpfliche, in Deutschland aber am meisten vernachläffigte Quelle dieser befferen Ernährung, zugleich auch für den Geift nachgewiesen. Dies wirkt jetzt. Namentlich giebt der deutsche Fischereiverein die besten Hoffnungen für Anregung und Beispiel zu dieser „Hydronomie". Seine dritte Generalverfammlung im neuen Berliner Rathhause schloß mit guten Aussichten auf ersprießliche Anfänge, unter Anderem mit dem Plane einer Expedition für wiffenschaftliche und praktische Untersuchungen der Nord- und Ostfee im Laufe des Sommers. Der preußische „Komet" sollte sie führen. Vorarbeiten von Dr. Möbius und Dr. A. H. Meyer in Kiel und Professor Müller in Königsberg über die Beschaffenheit dieser salzigen Gefilde, deren Fauna und Flora geben guten Anhalt für die wiffenschaftlichen Forschungen dieser Expedition, welche nach Gutachten der Professoren Jeffen in Eldena und Amtsberg in Stralfund geführt werden soll. Das leichteste und maffenhafteste Material für die fich ziemlich von felbst züchtende Mießmuschel hatte fich von den verschiedenen Küsten der Nordsee und deren Inseln schon eingefunden. Wafferbauinspector Tolle zu Norden, Lootsen-Commandeur v. Krohn zu Wilhelmshaven, Düneninspector Hübbe zu Keitum auf Sylt, Dr. A. H. Meyer zu Kiel, Oberfischermeister Jeferich zu Stralfund, Herr v. Homeyer zu Nanzim, Fischereidirector Heins in Schleswig, alle hatten Gutachten und Erfahrungen der erfreulichsten Art über das Gedeihen der Mießmuschel in der Nord= und Ostfee gemacht und dem Vereine izum Besten gegeben. Wir fehen daraus, daß diese Volksauster fich ohne befondere feine Pflege an allen möglichen Pfählen, Steinen und Faschinen von felbst fehr gut vermehrt, fo daß der einstimmig angenommene Antrag von Meyer und Möbius, hundert Thaler Preis für die besten Geräthe der Muschelzucht von dem Landwirthschaftsminister zu erbitten, zwar nicht zu den dringendsten, doch dankbarsten und leichtesten Aufgaben gehören mag. Befferen Schweißes der Edlen werth wäre die Löfung einer mit mindestens tausend Thalern zu ehrenden Preisaufgabe: „Wie vermehren und veredeln wir die bis jetzt aristokratische Muschel der Ostrea edulis zur körperlich und geistig erquickenden Volksauster?" Schon Kanut der Große foll fie vor beinahe tausend Jahren in die Nordsee verpflanzt haben, fo daß wir jetzt noch von der Resten dieser verwilderten, monopolisirten und verschlammten Zucht unsere feinen Gaumen reizen. Hoffentlich erbarmt fich der Verein trotz der fachverständigen, aber im Intereffe des Flensburger Monopols einfeitigen Abmahnungen des Professor Möbius recht bald dieser, Cultur. Hauptaufgabe ist ihm zunächst wohl Bewirthschaftung und Auserntung der Nord= und Ostfee, welche von Bremer, Hamburger und Danziger Fischereigesellschaften neuerdings mit Muth und Geld, aber auch mit Verluft in Angriff genommen ward. Es hieß, fie wollten Bankerott machen.

Wie? Der Doggerbank, den Reichthum strotzenden Fischereigründen, dem „neptunischen Californien" der Nordsee gegenüber und ins Gesicht? Das wäre eine Schmach für sie und uns! Dieses Unheil müssen wir abzuwenden suchen. Zwar giebt die mit 300,000 Thalern gegründete neue Seefischerei-Actien-Gesellschaft der Weser und das in Rostock mit 25-Thaler-Actien um das Dasein kämpfende Unternehmen sogleich wieder neue Hoffnungen, aber auch die älteren Gesellschaften sollten uns mit ihren Erfahrungen und Verlusten nicht verloren gehen. Sie haben das Verdienst, angefangen zu haben, wenn auch noch nicht recht. Aber mit etwas neuem Geiste und Gelde können sie verhältnißmäßig leicht auf den rechten Weg des Gewinnes für uns Alle kommen oder geführt werden. Der deutsche Fischereiverein kann ihm vielleicht mit dem wissenschaftlichen und wirthschaftlichen Credit seiner bedeutenden Namen helfen und wir Alle durch Genuß von Seefischen dazu beitragen. Woran fehlt es diesen Seefischereigesellschaften? An dem rechten Boden, an geeigneten Booten, an der richtigen Fischereiart, schnellem Transport, Eis und Eisenbahnen. Alle diese Fehler lassen sich beseitigen. Man baue schnellsegelnde, sichere Boote von funfzig bis sechszig Tons für 6—10,000 Thaler nach den jetzigen englischen Mustern und bemanne sie zunächst wenigstens mit englischen oder norwegischen Führern, dazu drei, vier Mann, einen oder ein Paar Schiffsjungen, segle damit auf die Doggerbank und in das neptunische Californien der Nordsee hinein mit den richtigen Grundnetzen und sonstigen besten Werkzeugen, gehörigem Vorrath von Eis und besten Vorrichtungen für nicht wärmeleitende Verpackung und zwar immer möglichst in Gesellschaft von etwa neun anderen Booten für gemeinschaftlichen Fang, Gewinn und schnellsten Segel- oder Dampfschifftransport zur contractlich gewonnenen Eisenbahn mit Stationen im Binnenlande, wo die Fische in dazu bestimmten Wagen sofort in allen Hauptstraßen frisch ausgeschrieen oder in appetitlichen Läden mit Marmorplatten und Eis feilgeboten werden können. Für die betheiligten Fischer „Industrial Partnership", gehöriger, sicherer Gewinnantheil und das lebhafteste Interesse am Gedeihen der ganzen Gesellschaft. Außerdem muß das seefischungewohnte Publicum darüber belehrt werden, daß der unmittelbar nach dem Fang getödtete und frisch oder in Eis gehaltene Fisch nach achtundvierzig Stunden noch viel gesunder und frischer ist, als der in Bungen und Marktfässern langsam erstickende und abgemattete, den sie noch als lebendig kaufen.

Mit Eis können die schnellsegelnden Smacks das in Anspruch genommene Transportdampfschiff sehr gut und vielleicht mit Vortheil entbehren. Die Erschütterungen durch Schraube oder Räder pflanzen sich im Wasser, den Fischen fühlbar, meilenweit fort, so daß sie leicht dadurch verscheucht werden. Je zehn Boote zusammen als eine Genossenschaft für jede

Expedition übertragen jeden Morgen ihren gemeinschaftlichen Fang auf einen der dazu besonders eingerichteten Schnellsegler, der nun mit der vollen Ladung, auch dem stärksten Winde entgegen, nach dem Hasen eilt, wo sie ohne Zollplackerei und umständliche neue Verpackerei sofort für die Binnenstädte dampfbeflügelt werden muß. So ist es englisch und so muß man es machen. Dann kommen wir auch hinterher noch schnell vorwärts.

Für London sorgten vor funfzig Jahren etwa ein halbes Hundert Trawlers oder Grundnetzfischer; jetzt reicht eine Flotte von tausend solchen Fahrzeugen nicht mehr hin. Vor dreißig Jahren krüppelten zwei erbärmliche Grundnetzboote in Scarborough aus und ein; jetzt sind zu dem vierzigsten, dreifach vergrößerten Schnellsegler dieser Art noch mehrere andere noch größere gekommen. Und so überall in allen englischen Häfen. Beispielsweise zieht Hull allein über eine Million Thaler reinen Gewinn für seine Grundfischer und einen viel höheren für die Leute, welche ihre Fische essen, meist aus der Doggerbank, die uns viel näher liegt als den Engländern.

Auf jedes Boot mit fünf Mann kommen durchschnittlich 500 Pfund Reingewinn, und da die Jungen zunächst nur wenig erhalten, fällt auf jeden eine Summe, die zwischen 700 und 1000 Thalern schwankt. Der Arbeiter auf dem Lande muß sich Tag für Tag abquälen, um mit gutem Glück vielleicht ein Drittel zu erwerben, und dabei wird er schnell alt, schwach und matt, während der kühne Grundnetzfischer den Stürmen des Meeres und dem schleichenden Elende auf dem Lande einen musculösen, muthigen Körper entgegenstellt, dabei viele Schiffbrüchige rettet und auch dem Vaterlande zu Wasser und zu Lande eine Quelle der Kraft und des Vertrauens wird. Man denkt dabei an Göthe's Verse:

Das Erdenleben, wie's auch sei,
Ist immer doch nur Plackerei:
Dem Leben frommt die Welle besser.

Der deutsche Fischereiverein, schon reich an wissenschaftlich und wirthschaftlich bedeutenden Namen, stieg bald nach der Gründung auf mehr als hundert und während des Frühjahrs zweihundert Mitglieder, die sich ziemlich auf ganz Deutschland vertheilen. Nur im Süden fehlt es noch, mit Ausnahme Badens. Von Freiburg aus wurde die Ausarbeitung einer Statistik aller Fischzuchtanstalten und die Verbreitung der pommerschen Madüe-Maräne in deutsche Gewässer angeregt und Unterstützung des Vereins versprochen. Auch die beabsichtigte Einbürgerung des kostbaren russischen Sterletts, der oft an Ort und Stelle mit hundert Rubeln und darüber verkauft werden soll, in deutsche Gewässer, verspricht großen Erfolg. Herr v. Oppenfeld-Rheinfeld gab darüber Auskunft und erwähnte, daß schon Friedrich der Große Exemplare dieser delicaten Störart aus der Wolga

kommen ließ und Nachkommen davon noch im Gierland=See bei Greiffen=
hagen in Pommern, so wie nach Friedrich Wilhelm's III. Auffrischung dieser
Zucht auch anderweitig in Teichen für künstliche Fischzucht gefunden werden.
Durch Vermittelung des landwirthschaftlichen Ministeriums sind Vorbereitungen
getroffen worden, größere Mengen von Sterletts für die Cultur in Deutsch=
land zu beziehen. Doch fürchte ich, daß es auf ministeriellem Wege theurer
und langsamer gehen werde als auf wirthschaftlichem. Professor Virchow
sprach sich sehr ermuthigend über diese Einbürgerung aus. Daß der Verein
sich auch der Krebszucht annehmen will, deutet hoffentlich auf keinen Rück=
schritt. Napoleon hat es uns mit deutschen Krebsen in französischen Flüssen
zuvorthun lassen. Hier erinnere ich an anderweitige, viel größere Vortheile
versprechende Einbürgerungen fremdwasseriger Schätze, die ich außer der
Madüe=Maräne und dem Sterlett in meiner Bewirthschaftung des Wassers
begründet und empfohlen habe. Ich ging dabei bis China, die Heimath
des Goldkarpfens, wo noch ganz andere und schmackhaftere Karpfen=
arten sich für Bevölkerung und Bereicherung unserer Teiche und Seen
eignen. Ein Chinese brachte vor einigen Jahren 1500 Fische, fast alle
wohlbehalten, nach Paris. Also ein guter Vorbote. Außerdem empfahl
ich und empfehle wieder Versuche zur Bevölkerung unserer großen Süß=
wasserseen mit größeren, schmackhafteren Fischarten aus salzigen Wassern,
Cultur der Alose, Einbürgerung amerikanischer Austern, der Clam=Muschel
(Venus mercenaria), des schwarzen und gestreiften Baß (Labrax lineatus),
so wie Anstrengungen, den deutschen Küsten englische cockles, periwinkles,
welks, schrimps u. s. w. und mit der Zeit auch deutschen Magen ein=
zuverleiben. Was ist dem echten Engländer Thee ohne Shrimps! Un=
zählige Tausende, die hungrig aufstehen und zu Bette gehen würden, werden
satt durch solche Nebenernten aus dem Meere.

Der Fischereiverein wird sich hoffentlich auch Verdienste um eine gute
Fischereigesetzgebung, d. h. zunächst Fischereigesetzabschaffung erwerben. Er
fing schon mit Versuchen an, den Vertrag der Rheinuferstaaten für Lachs=
zucht dem in blindem Geize erhobenen Widerstande der Holländer gegen=
über zur Geltung zu bringen. Das flüssige Wasser verbindet die Menschen
über politische Grenzen hinaus, und gedeihliche Lachszucht ist ohne einheit=
liche Behandlung der betreffenden Flüsse gar nicht möglich. Sollte man
dies den dickköpfigen Holländern nicht beibringen können?

Für die drei längsten Tage des nächsten Jahres eröffnet uns der
Verein lichte und lachende Aussicht auf eine agro= und hydronomische Aus=
stellung in Berlin, d. h. eine landwirthschaftliche in Verbindung mit einer
wasserwirthschaftlichen. Der Berliner Polizei=Präsident stellte bereits Wasser
und Baffins um die Ausstellung im Kroll'schen Locale herum zur Verfügung.

In einer Hauptarbeit, nämlich Erleichterung und Regelmäßigkeit des

Seefischtransports, hat es der Verein schon zu einigen guten Ergebnissen gebracht. Hier müssen freilich zunächst die Fischer selbst und dann die Eisenbahn-Directionen erst ihren Vortheil begreifen und danach handeln lernen. Die Stettiner Bahn wollte Fische nur bei Sendungen von 45 Centner an für einfache Fracht befördern, und die oberschlesische gar nicht; die Altona-Kieler dagegen, etwas weiser durch die Nachbarschaft des reinigenden Wassers, verstand sich nicht nur zur einfachen Fracht für Personen- und Schnellzüge, sondern auch zu einer zweistündigen Abfertigung vor Abgang, die Hamburger sogar zu einer halbstündigen.

Wenn die unzähligen Zollplackereien nicht wären, könnte man es auch in Deutschland bald zu der Frische und Freiheit des englischen Frachtverkehrs mit den Eruten aus dem Wasser bringen. Und wenn der Verein dafür sorgt, daß Zöllner und Sünder, oberschlesische und oberfaule Eisenbahn-Directoren, Holländer und andere Nachbarn ihren eigenen Vortheil einsehen lernen, bringen wir es auch wohl noch soweit.

Schließlich empfehlen wir noch das von Virchow bereits empfohlene Abkommen des Görlitzer Consum-Vereins für regelmäßigen Bezug von Seefischen aus Travemünde zur Nachahmung für ähnliche und andere Vereine und Genossenschaften und ganz zuletzt dem Vereine selbst Maßregeln für kräftigere Einnahmen, d. h. befruchtendere Ausgaben. Diese eingenommenen 325 Thaler, wovon 270 ausgegeben waren, klingen gar zu schwach für eine Gesellschaft so bedeutender' Männer mit so viel versprechenden, segensreichen Plänen und Aufgaben. Die Thaler sollten schon jetzt ein- und ausgehend nach Tausenden klingen. Es giebt Capitalisten unter ihnen, die, wenn nicht etwas opfern, doch wagen könnten. Außerdem bilden sie zusammen eine moralische Person, die sich zum Theil selbst Credit zu verschaffen, theils einzelne oder vereinigte Unternehmer für die Bewirthschaftung des Wassers damit zu ermuthigen und zu stärken vermag.

Der Anfang ist gemacht. Wirthschaftlichkeit und Wissenschaft werden für gute Fortsetzungen sorgen, unter Anderem hoffentlich auch für See-Aquarien nach den Mustern von Arcachon und Concarneau, vielleicht sogar nach dem noch im Werden begriffenen 700 Fuß langen und 100 Fuß breiten neptunischen Palaste, der sich dicht an der Küste bei Brighton erheben soll.

Dem Vereine empfehlen wir noch persönliche oder schriftliche Erkundigungen nach den Zuständen künstlicher Fischzüchtereien in Deutschland und einiger neuen Anstalten außerhalb, so wie correspondirende Verbindung mit französischen, englischen und amerikanischen Wasserbewirthschaftungsanstalten und Gewinnung der Häupter derselben zu Mitgliedern. In der Nordsee wäre um Sylt und Amrum herum mit den Austernbänken und deren möglichster Befreiung von Fiscal- und Monopolfesseln zu beginnen.

Und wie steht es mit der künstlichen Züchtigung zwischen Havel und der blauen Balje und dem holländischen Pächter, der Anstalt in der Jahde-Mündung? Was läßt sich aus den kümmerlichen Resten natürlicher Austern-bänke um die Inseln Jnist und Borkum herum machen? Was ist aus der unter Leitung St. Paul=Illaires mit einer Million Austern begründeten Bank an ersterer Insel geworden? Die Watt=Fläche um die Elb=Insel Neuwerk herum soll sich vorzüglich für künstliche Austernzucht eignen. Ist etwas dafür im Werke? Die mit 22,000 Thalern angelegte Forellenzucht zu Wissen an der oberen Sieg, welche ihre Zöglinge schon bis Berlin und Paris verwerthet, soll um staatliche Unterstützung nachgesucht haben. Die Anstalt für Forellen und Lachse zu Niederbieber bei Neuwied und die in Wiesbaden genießen solchen Schutz, und da wird man denken: was dem Einen recht, ist dem Andern billig. Es ist aber ganz entschieden un-wirthschaftlich, industrielle Unternehmungen so gesunder Art und mit so glänzenden Erfolgen, wie wir sie in Amerika kennen gelernt haben, zu unterstützen. Credit, Mittel zur Anlage und Ausführung gegen Ver-zinsung und Abzahlung kann und soll man ihnen gewähren, nur kein dem übrigen Volke abgenommenes Almosen. Die Forellenzüchtereien zu Det-mold, Rheinfeld und Reinhardsbrunn gedeihen ja meines Wissens auch bei der bisher unentwickelten Zucht und Verzehrung ohne solch Taschengeld. Die Kuffer'sche Anstalt zu München wird, glaube ich, überhaupt auf Rech-nung des Staats geleitet. Die von Brehm und Stahlschmidt angelegten Forellenteiche zwischen Sahba und Kämmerswalde (Lehrer Maier) haben sich ohne alle geschenkten Mittel gut begründen lassen. Brehm wird das Berliner Aquarium auch zu einer Lehr=Anstalt für künstliche Fischzucht weiter auszubilden wissen. Die von ihm erfundenen „Brutkacheln" kann man neben den Lüer'schen darin angewendet sehen. Zu Saalfeld in Ost-preußen gelang es einem einzigen Manne, dem Lehrer Haack, künstliche Eierbefruchtung der verschiedensten Fische zu begründen und die Betheiligung gebildeter Land= und Wasserbesitzer zu gewinnen. Wie weit mag er es gebracht haben? Der Verein könnte sich erkundigen und eine so tüchtige Kraft zu gegenseitiger Förderung aufnehmen. Die Lachszuchtanstalt zu Hameln für die Weser hat sich ja wohl auch aus eigenen Mitteln bis zur Befruchtung und Erziehung von mehreren hunderttausend Eiern entwickelt und erwartet heuer und im nächsten Jahre die Getreuen unter ihren Zög-lingen fett und schwer aus dem Meere zurück. Der Verein könnte sich dann wohl auch mit den gedeihlichen Anstalten zu Salzburg, der Kronstadt-Tartlauer Gesellschaft der Herren Jekelius u. Co., mit der Forellenzucht in Freck (Siebenbürgen) und der größten österreichischen Anstalt für künst-liche Fischzucht zu Lubatowka in Galizien in Verbindung setzen. Sie gehört dem Herrn T. Trzecieski und wurde von L. Lindes angelegt. Die dreißig

Baſſins von 2½ Joch Flächenraum ſind mit verſchiedenen Salmoniden, faſt allen Arten von jungen Lachſen, 2000 Barten und 3200 Krebſen bevölkert. Herr Lindes erwartete von der erſt vor vier Jahren angelegten Anſtalt heuer ſchon einen Reinertrag von etwa 3000 Gulden, der bei geſunder weiterer Entwicklung wohl bald auf jährlich 30,000 ſteigen mag. Auch die adriatiſchen Kunſtauſternbänke verdienen Beachtung oder Beſuch. Endlich wäre es wohl der Mühe werth, die zuerſt vom Medicinalrath Dr. Küchenmeiſter in Zittau vorgeſchlagene und als thunlich begründete künſtliche Auſternzucht in Salz- und Soolbinnenſeen, alſo mitten im Lande näher zu unter-, reſp. zu verſuchen. Gelänge es, ſo könnten wir unſeren ſalzigen Seen und Soolbädern mitten in Thüringen und ſonſt im Lande dieſe neptuniſchen Sahnentorten vielleicht mit der Zeit millionenweiſe abernten und die Geſundheit, die ſich nicht durchs Baden finden will, von innen heraus durch Auſterngenuß uns aneignen und ſichern.

Endlich würde von der 10 Morgen umfaſſenden Anſtalt für künſtliche Auſternzucht an der ſchlammigen Inſel Hahling, öſtlich von Wight, Süd-England, 1866 mit 50,000 Mutter-Auſtern begonnen, die ſich nach 6 Monaten um etwa 6 Millionen Stück Brutanſatz vermehrt hatten, viel zu lernen ſein. Auch in Norwegen hat man nach engliſchen und franzöſiſchen Muſtern künſtlich zu züchten begonnen. Die Kaufleute Chriſtianias hatten mit ſchlechten Verſuchen bei Dröbak kein Glück, aber Erfolg mit Bearbeitung natürlicher Auſtern-Bänke unter Leitung des Candidaten Smith. Und der Lehrer Hanſon in Stavanger züchtet mit Erfolg in der natürlich ungünſtigen, durch koſtbare Vorbereitungen und Bauten gewonnenen Anlage der Rugagerkilen-Bucht bei Arendal auf eigene, zum Theil neue Art die köſtliche Molluske, wie ſeine deutſchen Collegen Haack und Maier Fiſche. Die merkwürdige Anſtalt iſt neben den öſterreichiſchen und einigen franzöſiſchen in Ritters v. Ergo's „Notizen über Auſtern-Cultur" im Grundriß abgebildet zu finden. Selbſt aus Afrika können wir gute Lehren beziehen, für künſtliche Seefiſch-Zucht- und Maſtteiche z. B. aus Bizerta (10 Meilen von Algier), wo die franzöſiſche Regierung eine kleine Fluß-Mündung in einen See von 100 Morgen ausweiten, in 12 Abtheilungen einzäunen und zum Theil durch bloße Fluth bevölkern ließ. In jeder Abtheilung wird immer nur einen Monat lang gefiſcht, ſo daß man jährlich einmal herumkommt, Ausbeute bis Tunis auf Kameelen verſchickt, immer ſelber gute friſche Fiſche und durchſchnittlich 20,000 Thaler Reingewinn genießen kann. — Der ganze Memeler Fiſcherei-Kreis, fiscaliſche Hoheit! — zahlt jährlich 400 Thaler Pacht. — —

Doch „Willſt Du immer weiter ſchweifen? Sieh das Gute liegt ſo nah", für uns z. B. der Karpfenteich und verachtete Tümpel in unzähligen Tauſenden von vernachläſſigten und ſogar ſchädlich gewordenen Waſſer-

flächen. Nichts einheimischer als unser Karpfen, und doch muß den Ber-
linern, in deren Nähe einst eine herrliche Zucht blühte, das zu Weihnachten
oder Sylvester erwünschte theure Karpfengericht vielleicht von Holland aus
besorgt werden. Da ist es wenigstens ein Trost, zu hören, daß der nord-
deutsche Thierschutzverein Androklus eine Anstalt für künstliche Fisch-, besonders Karpfenzucht anlegen will. An letzterer arbeitete im Frühling
der Mühlenbesitzer Gerlach zu Theresienhof in der Nähe von Fürstenwalde.
Möchten ihm doch bald andere gebildete Mühlen- und Wasserbesitzer nach-
eifern, und die Mitglieder des deutschen Fischereivereins als solche oder
einzeln Geld und Geist dafür zu gewinnen und anzulegen suchen. Ich muß
auch hier wieder auf meine „Bewirthschaftung des Wassers" hinweisen,
worin ich aus allen möglichen Erfahrungen, die in der ganzen Welt gemacht wurden, nachweise, daß in jedem Teiche und Tümpel, ja schädlichen
Sumpfe Schätze stecken und wie man sie ausgraben, in Fluß bringen und
in geistige wie materielle Wohlstandsquellen umwandeln kann.

Diese Broschüre hier soll auf dieses zum ersten Male die ganze Bewirthschaftung des Wassers für Bereicherung unserer Lebensbefriedigungsmittel darstellende Buch zurück und zugleich darüber hinaus auf die seitdem
entstandenen neuen Werke und Winke weisen. Schließlich verbinde ich damit noch die dringende Bitte, mir bald aus dem Leben Scheidenden weitere
Arbeit für den ganzen Umfang der Wasserwirthschaft, der noch sehr vernachlässigten Hydronomie abzunehmen. Ich brauche dieses griechische Wort
zum ersten Male, um damit kurz und umfassend zu bezeichnen, was meines
Wissens zuerst der Professor der Volkswirthschaft zu Lüttich Le Hardy de
Beaulieu in seinem Werke über Eigenthum und Ausnützung der Gewässer
der Wissenschaft übergab. Diese Hydronomie umfaßt außer der Fischerei-
Cultur auch noch die wissenschaftliche und wirthschaftliche Behandlung des
Wassers als der flüssigsten, billigsten Arbeits-, Landbefruchtungs-, Gesund-
heits- und Verkehrskraft. Es handelt sich also darum, genau zu benutzen,
was ich in meinem Buche einleitungsweise unter dem Titel: „Der Mensch
und das Meer" in allgemeinen Zügen veranschaulichte, um Regelung und
Ableitung der atmosphärischen Niederschläge, Pflege der Wälder, dieser be-
fruchtenden „Wasserdichter", um Wiederbewaldung abgeholzter Gebirgs-
und Höhenzüge als der eigentlichen Quellen unserer segensreichen Gewässer.
Sodann gilt es, diese Gerinne in möglichst nutzbarem Flusse zu erhalten,
zu raschen Strom zu mildern, zu langsamen oder erstorbenen zu beleben,
Ueberschwemmungen und Versumpfungen vorzubeugen und schädliche Gewässer in Gesundheits- und Nahrungsquellen zu verwandeln. Ebenso wichtig
ist die Aufgabe, die Wasserläufe zu werthvollsten und billigsten Verkehrs-
straßen zu gestalten, diese zu vermehren und mit einander zu verbinden.
Dafür haben wir Gott sei Dank endlich den bereits erwähnten vielver-

sprechenden Verein. Aber auch was außerhalb seines Wirkungskreises liegt, muß mit vereinigten Geistes- und Geldkräften durchgreifend gefördert werden, Vertiefung unserer versandenden Flüsse, Abschneidung zu großer Krümmungen durch flüssige Kunststraßen, Ufer- und Schleusenbauten, Anlegung von flüssigen Vorräthen zur Regulirung des Pegelstandes. Außerdem ist das Wasser die mächtigste und billigste Trag- und Triebmaschine. Es wurde einmal ausgerechnet, daß mit der einzigen Kraft, womit die Themse ununterbrochen auf- und abfluthet, alle die Millionen Pferdekräfte, womit die Maschinen Englands getrieben werden, zu ersetzen seien. Auch habe ich Berechnungen und Werke gesehen, wonach diese zerstreut fließenden Gewalten verdichtet, gleichsam auf thurmhohe Flaschen gezogen und von da künstlerisch für die verschiedensten Zwecke durch Röhren und Rinnen abgefüllt und benutzt werden können. Unsere städtischen Wasserversorgungsanstalten sind ja schon kleine Beispiele dafür. Diese erinnern auch an die sogenannte Canalisation zur Reinigung der Städte, welche bei uns jetzt vielfach in Angriff genommen wird, nachdem die Engländer durch millionenfachen Schaden zu der Einsicht gedrängt worden sind, daß diese Canalisation die Sterblichkeit vermehrt und unseren Fruchtfeldern die unentbehrliche Nahrung entzieht, wodurch Elend und Tod wieder künstlich gefördert und gefüttert werden.

Ich habe dies in meiner Broschüre: „Die Stadtgifte und deren Umwandlung in neue Geld- und Lebensquellen" kurz und mit einer solchen Masse von gesammelten, schlagenden Thatsachen nachgewiesen, daß ich zu dem Ausspruche berechtigt bin: jeder weitere Versuch in dieser verurtheilten Canalisation ist ein Verbrechen gegen die Wissenschaft, die Landwirthschaft, die Gesundheit und das Leben.

Endlich hat es die Hydronomie noch mit Wassermüllern, Schiffern und Anwohnern der Gewässer für Befruchtung ihrer Felder, Berieselungs- und Abzugscanäle zu thun. Da sich nun auch alle diese flüssigen Fluren zur Beackerung und Auserntung durch Fischerei eignen, gehören sie ebenfalls in mein Bereich, dessen Eroberung und wirthschaftliche Ausbeutung ich dem lebenden und nachwachsenden Geschlecht nicht warm genug empfehlen kann.

Gedruckt bei C. Polz in Leipzig.

CPSIA information can be obtained
at www.ICGtesting.com
Printed in the USA
BVHW04s0921140918
527534BV00019B/513/P